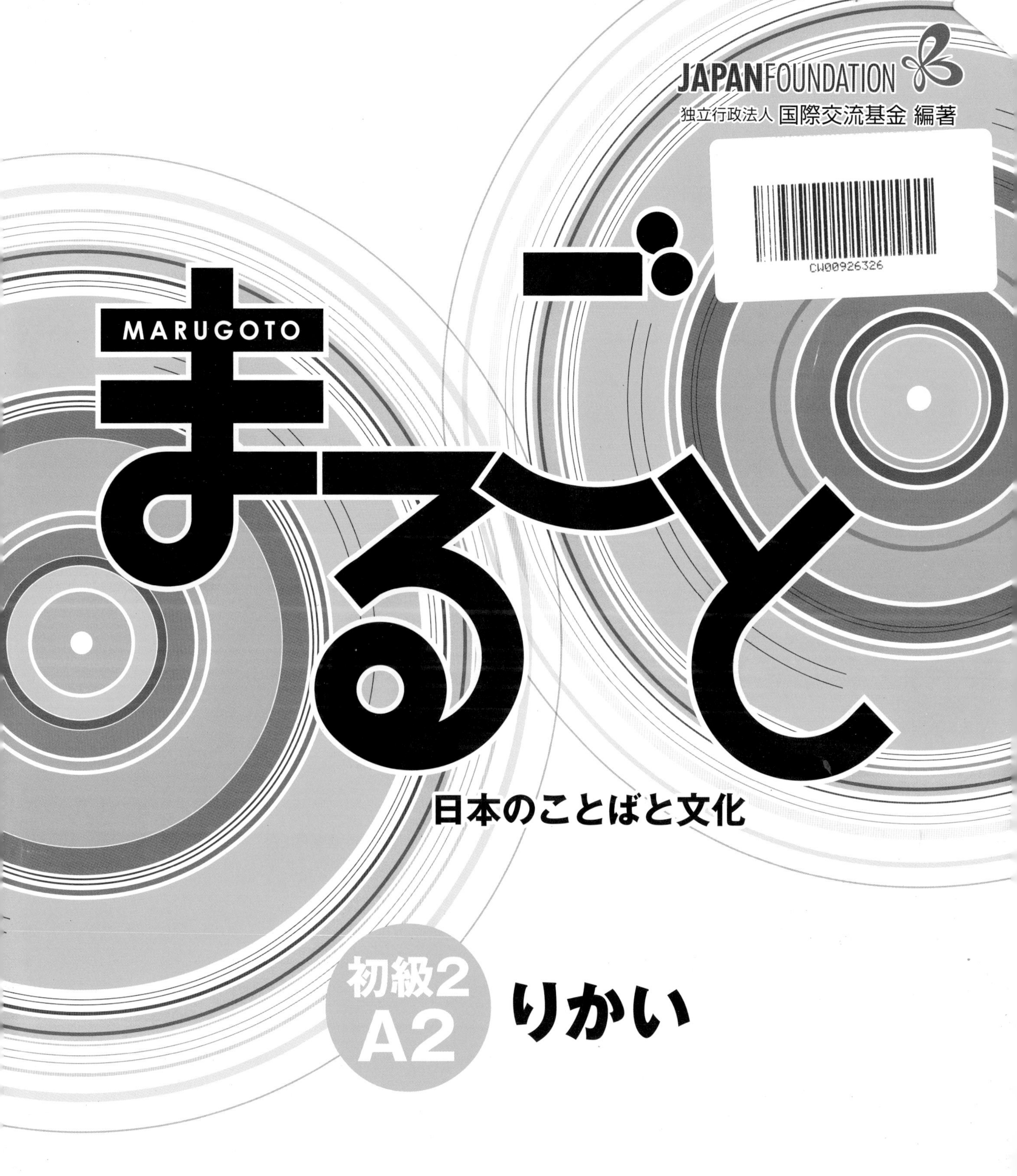
JAPAN FOUNDATION
独立行政法人 国際交流基金 編著
MARUGOTO
まるごと
日本のことばと文化
初級2
A2
りかい

三修社

はじめに

国際交流基金は、海外における日本理解を深めること、また、国際相互理解を促進することを目的として、様々な文化交流事業を行っています。日本語教育においても、国際交流の場が人々の相互理解につながるように事業を展開することが重要だと考えています。本書『まるごと 日本のことばと文化』も、そうした考え方にもとづいて、成人学習者向けに開発された日本語コースブックです。

『まるごと 日本のことばと文化』は、ＪＦ日本語教育スタンダードに準拠して開発しました。『まるごと』という名前には、ことばと文化を「まるごと」、リアルなコミュニケーションを「まるごと」、日本人のありのままの生活や文化を「まるごと」伝えたいというメッセージが込められています。

本書を開発するにあたって、特に工夫したのは以下の点です。

- 言語パフォーマンスの学習を中心にした「かつどう」と、言語知識の学習を中心にした「りかい」の二巻構成とし、これにより学習者のニーズや学習スタイルに合わせて使えるようにしました。
- 異文化を理解して尊重することを重視し、多様な文化背景を持つ人々が日本語で交流する場面を各トピックに設定しました。
- 言語学習における音声インプットの役割を重視し、自然な文脈のある会話を聞く教室活動を数多く設けました。
- 学習者自身が学習を管理することを重視し、ポートフォリオ評価を導入しました。

本書を通じて、世界中の学習者の方たちに、日本語と日本文化、そして、その中で暮らしている人々を「まるごと」感じていただければ幸いです。

2014 年 9 月

独立行政法人国際交流基金

Introduction

Welcome to *Marugoto: Japanese Language and Culture*, a comprehensive series of coursebooks for adult learners of Japanese as a foreign language developed by the Japan Foundation and based on the JF Standard for Japanese Language Education.

The Japan Foundation engages in a variety of cultural exchange initiatives aimed at deepening understanding of Japan overseas and promoting mutual understanding between Japan and other countries. We think it is important that our work, including our work in Japanese language education, takes place in a way that encourages mutual understanding between people in situations where international cultural exchange takes place, and *Marugoto: Japanese Language and Culture* is based on this way of thinking.

The word *Marugoto* means 'whole' or 'everything' , and was chosen as the title of the coursebook because the course encompasses both language and culture, features communication between people in a range of situations, and allows you to experience a variety of aspects of Japanese culture through hundreds of colourful photographs and illustrations.

The coursebook also incorporates many innovative components for learning language including:

- learning divided into two volumes: *Katsudoo* (coursebook for communicative language activities), aimed at improving ability in language performance, and *Rikai* (coursebook for language competences), aimed at improving ability in language knowledge - so that you can choose a method of study that meets your needs and suits your learning style
- designed with an emphasis on understanding and respecting other cultures, and containing situations where people from a variety of cultural backgrounds interact in Japanese
- learning Japanese through listening to a variety of natural contextualized conversations
- management of your own learning through a portfolio approach

We hope that *Marugoto: Japanese Language and Culture* will motivate you to enjoy learning the Japanese language and Japanese culture, and will help you feel closer to the people who actually live in this culture and speak the language.

September 2014

The Japan Foundation

この本のとくちょう

『まるごと 日本のことばと文化』（『まるごと』）は JF 日本語教育スタンダードに準拠したコースブックです。『まるごと』には以下のような特徴があります。

● JF 日本語教育スタンダードの日本語レベル

『まるごと』は JF 日本語教育スタンダードの 6 段階（A1-C2）でレベルを表しています。『まるごと』（初級2）は A2 レベルです。

A2 レベル

・ごく基本的な個人的情報や家族情報、買い物、近所、仕事など、直接的関係がある領域に関する、よく使われる文や表現が理解できる。

・簡単で日常的な範囲なら、身近で日常の事柄についての情報交換に応ずることができる。

・自分の背景や身の回りの状況や、直接的な必要性のある領域の事柄を簡単な言葉で説明できる。

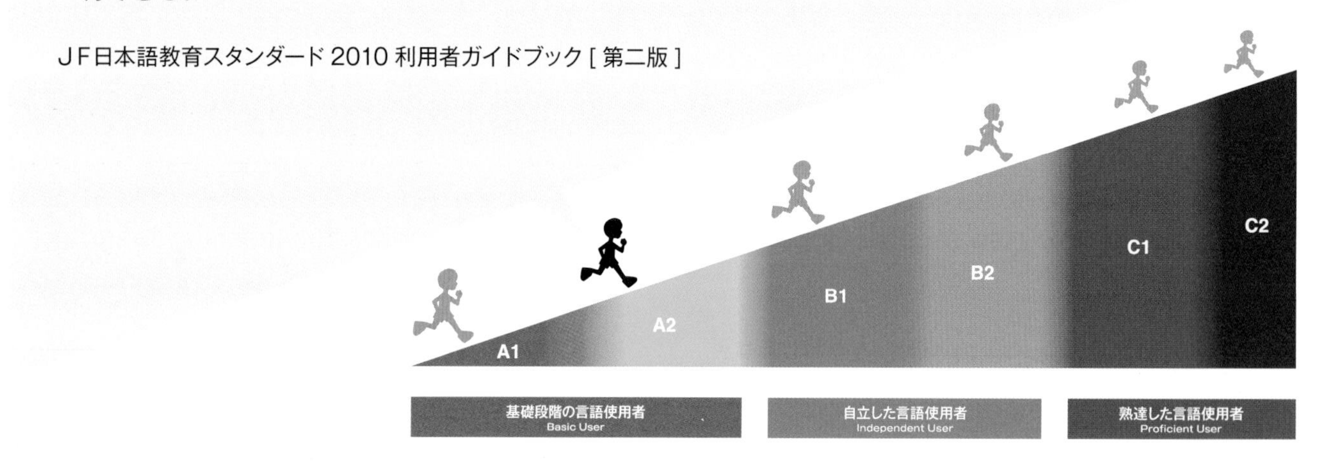

JF日本語教育スタンダード 2010 利用者ガイドブック [第二版]

● 2つの『まるごと』：「かつどう」と「りかい」

『まるごと』は日本語を使ってコミュニケーションができるようになるために、「かつどう」と「りかい」の2つの学習方法を提案します。

「かつどう」：日本語をすぐに使ってみたい人に

・日常場面でのコミュニケーションの実践力をつけることが目標です。

・日本語をたくさん聞き、話す練習をします。

「りかい」：日本語について知りたい人に

・コミュニケーションのために必要な日本語のしくみについて学ぶことが目標です。

・コミュニケーションの中で日本語がどう使われるか、体系的に学びます。

「かつどう」と「りかい」はどちらも主教材です。どちらを選ぶかは、学習目的によって決めてください。また、「かつどう」と「りかい」は同じトピックで書かれています。両方で学べば、総合的に日本語力をつけることができます。

● 異文化理解

『まるごと』は、ことばと文化を合わせて学ぶことを提案しています。会話の場面や内容、写真、イラストなど様々なところに異文化理解のヒントがあります。日本の文化について知り、自分自身の文化をふりかえって、考えを深めてください。

● 学習の自己管理

ことばの学習を続けるためには、自分の学習を自分で評価し、自分で管理することがとても重要です。ポートフォリオを使って、日本語や日本文化の学習を記録してください。ポートフォリオを見れば、自分の学習プロセスや成果がよくわかります。

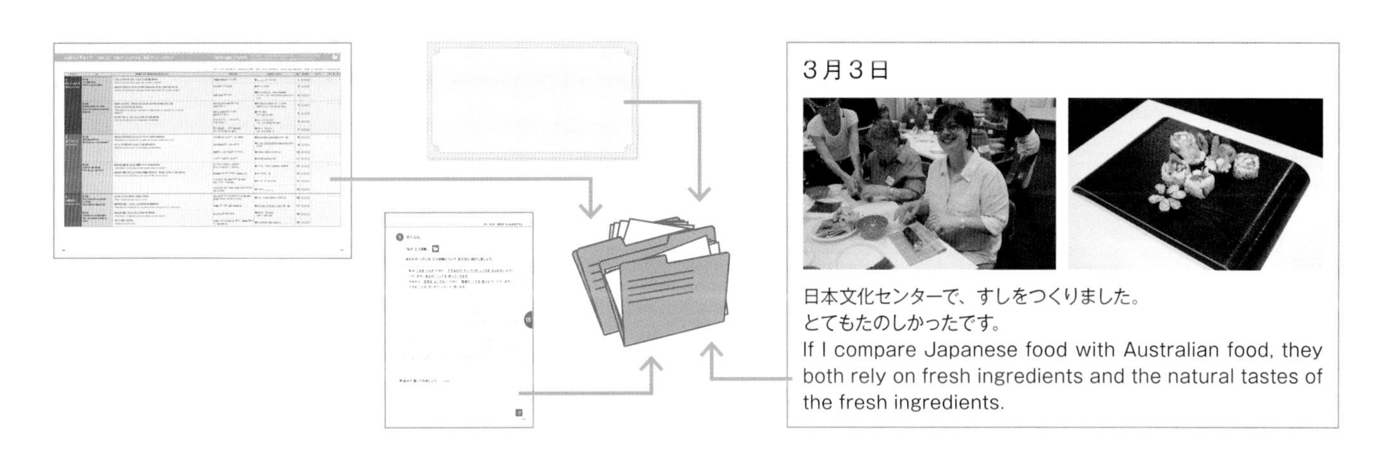

この本のつかいかた

1 コースの流れ

『まるごと』(初級2 A2 りかい) のコースは、コミュニケーションを支える言語構造 (文字、語彙、文法、文型など) の学習を中心に進めます。授業時間の目安は1 課あたり 120-180 分で、コースの中間と終了時に「テストとふりかえり」をします。

コースの例 : 1回の授業 (120 分) で1課を学習する場合

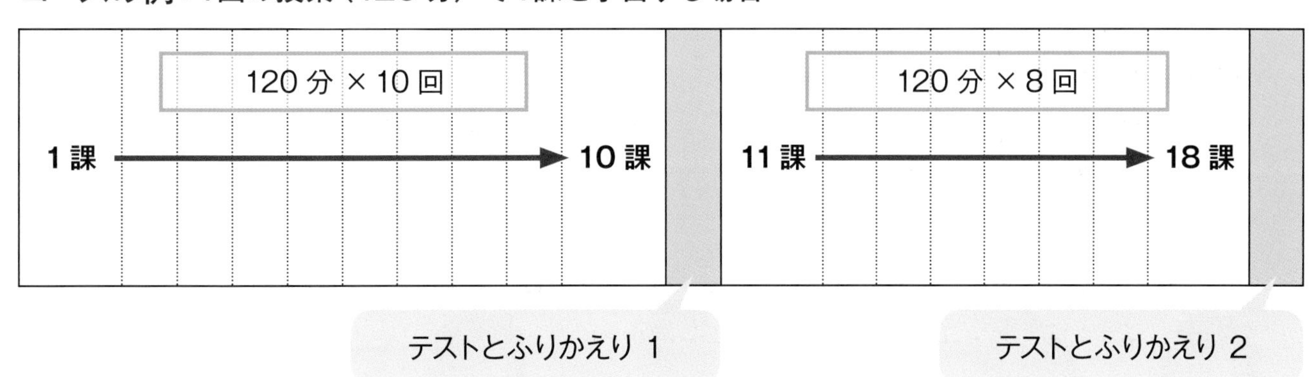

2 トピックと課の流れ

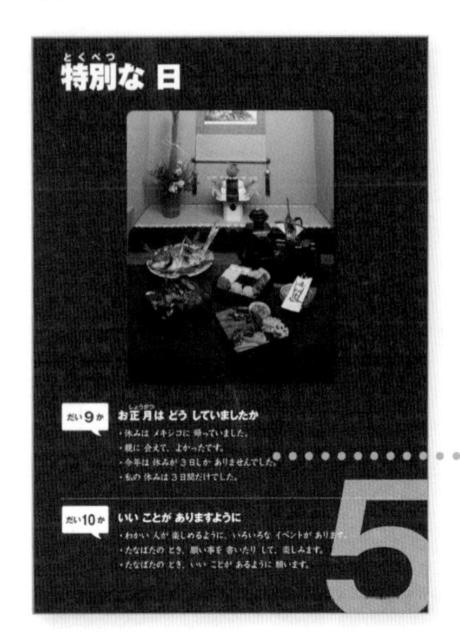
特別な 日

だい9か　お正月は どう していましたか
・休みは メキシコに 帰っていました。
・親に 会えて、よかったです。
・今年は 休みが 3日しか ありませんでした。
・私の 休みは 3日間だけでした。

だい10か　いい ことが ありますように
・わかい 人が 楽しめるように、いろいろな イベントが あります。
・たなばたの とき、願い事を 書いたり して、楽しみます。
・たなばたの とき、いい ことが あるように 願います。

5

1つのトピックに、2つの課があります。写真を見て、どんなトピックか話します。基本文を見て、この課で学習することを確認します。

べんきょうするまえに

この課の内容についての質問があります。課の内容を想像し、理解しやすくするための準備です。

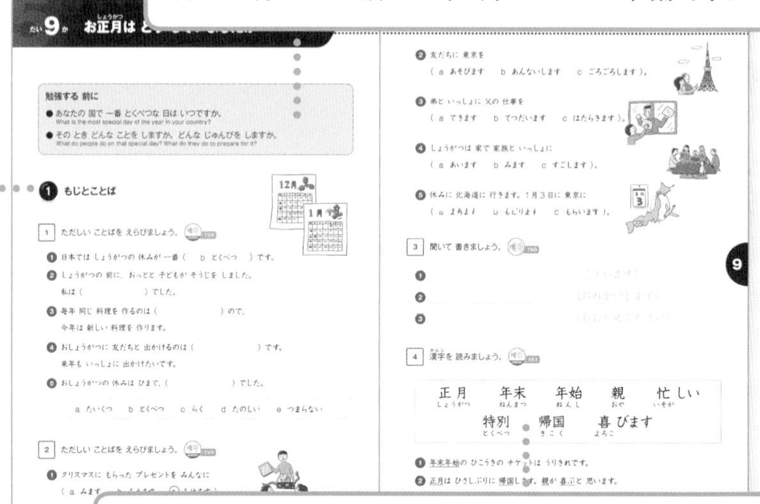
だい9か　お正月は

勉強する 前に
● あなたの 国で 一番 とくべつな 日は いつですか。
● その とき どんな ことを しますか。どんな じゅんびを しますか。

1 もじとことば

1 ただしい ことばを えらびましょう。

3 聞いて 書きましょう。

4 漢字を 読みましょう。

正月　年末　年始　親　忙しい
特別　帰国　喜びます

もじとことば

この課で使う文字とことばの練習をします。ことばはトピックとつなげて意味を理解するのが効果的です。ごいインデックスなど：URL → p9

かんじ

トピックに関係のあることばが漢字で表されています。漢字はまず読み方をおぼえましょう。また、入門 A1、初級 1 A2 で勉強した漢字は会話で使われています。

かいわとぶんぽう 2-4

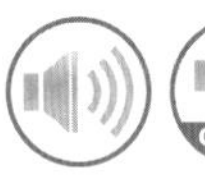

音声ファイル：URL → p9

● **モデル会話**

音声を聞きながら黙読し、会話と文法を結びつけて理解します。イラストもヒントに使いましょう。

● **文の構造**

文の構造やルールを理解します。

● **練習**

文脈／場面の中で、会話と文法を結びつけて練習します。答えのチェックにも音声を使ってください。

2 かいわとぶんぽう

1 聞きましょう。

2 V-ていました　休みは メキシコに 帰っていました。

ことばを えらんで、ただしい かたちを 書きましょう。

3 かのう ③

V-(られ)て、　親に 会えて、よかったです。
V-(られ)なくて、　友だちに 会えなくて、ざんねんでした。

1 ただしい ほうを えらびましょう。

2 聞いて えらびましょう。

3人は お正月に 何を しましたか。

ゆうこさん
日本

パクさん
かんこく

キャシーさん
イギリス

シンさん
インド

カルメンさん
メキシコ

たなかさん
日本

かわいさん
日本

ことばと文化

会話の中に現れる日本語の使い方の文化的な特徴について考えます。

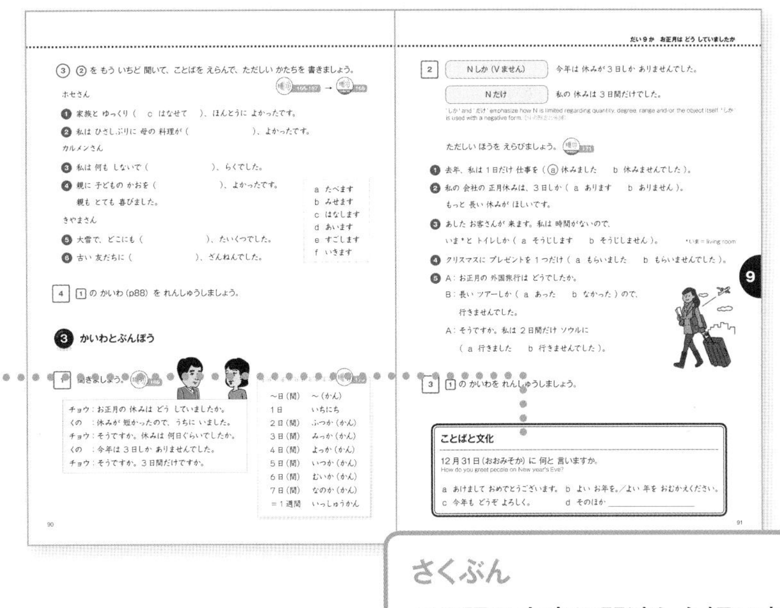
③ ② を もう いちど 聞いて、ことばを えらんで、ただしい かたちを 書きましょう。

ホセさん

❶ 家族と ゆっくり（ c はなせて ）、ほんとうに よかったです。

❷ 私は ひさしぶりに 母の 料理が（　　　　）、よかったです。

カルメンさん

❸ 私は 何も しないで（　　　　）、らくでした。

❹ 親に 子どもの かおを（　　　　）、よかったです。
親も とても 喜びました。

きやまさん

❺ 大雪で、どこにも（　　　　）、たいくつでした。

❻ 古い 友だちに（　　　　）、ざんねんでした。

a たべます
b みせます
c はなします
d あいます
e すごします
f いきます

4 1 の かいわ（p88）を れんしゅうしましょう。

❸ かいわとぶんぽう

1 聞きましょう。

チョウ：お正月の 休みは どう していましたか。
くの　：休みが 短かったので、うちに いました。
チョウ：そうですか。休みは 何日ぐらいでしたか。
くの　：今年は 3日しか ありませんでした。
チョウ：そうですか。3日間だけですか。

～日（間）	～（かん）
1日	いちにち
2日（間）	ふつか（かん）
3日（間）	みっか（かん）
4日（間）	よっか（かん）
5日（間）	いつか（かん）
6日（間）	むいか（かん）
7日（間）	なのか（かん）
＝1週間	いっしゅうかん

90

だい9か　お正月は どう していましたか

2 Nしか（Vません）　今年は 休みが 3日しか ありませんでした。
Nだけ　私の 休みは 3日間だけでした。

'しか' and 'だけ' emphasize how N is limited regarding quantity, degree, range and/or the object itself. 'しか' is used with a negative form.

ただしい ほうを えらびましょう。

❶ 去年、私は 1日だけ 仕事を（ ⓐ 休みました　b 休みませんでした ）。

❷ 私の 会社の 正月休みは、3日しか（ a あります　b ありません ）。
もっと 長い 休みが ほしいです。

❸ あした お客さんが 来ます。私は 時間がないので、
いま*と トイレしか（ a そうじします　b そうじしません ）。　*いま = living room

❹ クリスマスに プレゼントを 1つだけ（ a もらいました　b もらいませんでした ）。

❺ A：お正月の 外国旅行は どうでしたか。
B：長い ツアーしか（ a あった　b なかった ）ので、
行きませんでした。
A：そうですか。私は 2日間だけ ソウルに
（ a 行きました　b 行きませんでした ）。

3 1 の かいわを れんしゅうしましょう。

ことばと文化

12月31日（おおみそか）に 何と 言いますか。
How do you greet people on New year's Eve?

a あけまして おめでとうございます。　b よい お年を。／よい 年を おむかえください。
c 今年も どうぞ よろしく。　d そのほか ＿＿＿＿＿＿

91

どっかい

この課の内容に関連した短い文章を読みます。文法・文型がどんな文脈で使われているか、よく見ましょう。

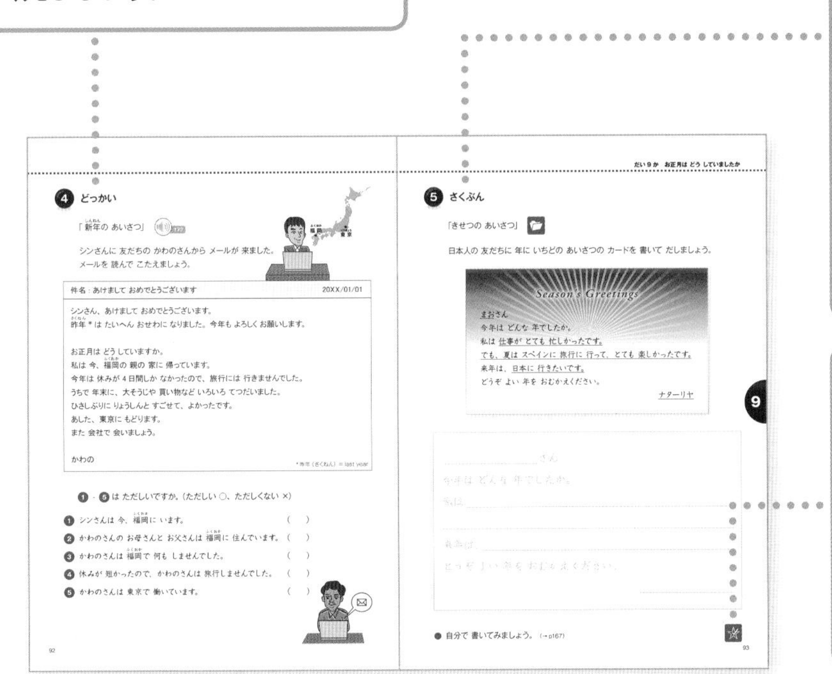
❹ どっかい

「新年の あいさつ」

シンさんに 友だちの かわのさんから メールが 来ました。
メールを 読んで こたえましょう。

件名：あけまして おめでとうございます　20XX/01/01

シンさん、あけまして おめでとうございます。
昨年*は たいへん おせわに なりました。今年も よろしく お願いします。

お正月は どう していますか。
私は 今、福岡の 親の 家に 帰っています。
今年は 休みが 4日間しか なかったので、旅行には 行きませんでした。
うちで 年末に、大そうじや 買い物など いろいろ てつだいました。
ひさしぶりに りょうしんと すごせて、よかったです。
あした、東京に もどります。
また 会社で 会いましょう。

かわの

*昨年（さくねん）= last year

❶・❺は ただしいですか。（ただしい ○、ただしくない ×）

❶ シンさんは 今、福岡に います。（　）

❷ かわのさんの お母さんと お父さんは 福岡に 住んでいます。（　）

❸ かわのさんは 福岡で 何も しませんでした。（　）

❹ 休みが 短かったので、かわのさんは 旅行しませんでした。（　）

❺ かわのさんは 東京で 働いています。（　）

92

だい9か　お正月は どう していましたか

❺ さくぶん

「きせつの あいさつ」

日本人の 友だちに 年に いちどの あいさつの カードを 書いて だしましょう。

Season's Greetings

まおさん
今年は どんな 年でしたか。
私は 仕事が とても 忙しかったです。
でも、夏は スペインに 旅行に 行って、とても 楽しかったです。
来年は、日本に 行きたいです。
どうぞ よい 年を おむかえください。
ナターリヤ

＿＿＿＿さん
今年は どんな 年でしたか。
私は＿＿＿＿
来年は＿＿＿＿
どうぞ よい 年を おむかえください。

● 自分で 書いてみましょう。（→p167）

93

さくぶん

この課の内容に関連した短い文章を書きます。まず、モデルの文章をよく見て、自分について書いてください。そして、ワークシート（p167）にもう一度全部自分で書きます。書いたら、ポートフォリオに入れます。PDF：URL→p9

にほんごチェック

授業のあとで、場面に合った日本語の使い方がわかったか、自分でチェックします。にほんごチェックp194-p199　PDF：URL→p9

アイコン

にほんごチェックを　しましょう

おんせい

ポートフォリオに　いれましょう

きいて　チェックしましょう

「さん」はほかの人の名前の後ろにつける敬称です。（たなかさん）

のりかさん
日本

よしださん
日本

ルパさん
インド

いしかわさん
日本

ヤンさん
マレーシア

カーラさん
フランス

タイラーさん
イギリス

3 異文化理解の活動

『まるごと』はことばと文化をいっしょに学ぶコースです。教室の外でも日本語を使ったり、日本文化を体験したりしましょう。

- 日本のウェブサイトを見る
- 日本料理のレストランに行ってみる
- 日本人の友人や知り合いと話してみる
- 日本のドラマや映画を見る
- 日本関係のイベントに行ってみる

教室の外で体験したことをクラスの人と話してください。

4 学習の自己管理の方法

1）にほんごチェック

1つの課が終わったら、にほんごチェック（p194-p199）を見て、チェックします。自分の学習をふりかえって、コメントを書きます。コメントは何語で書いてもいいです。

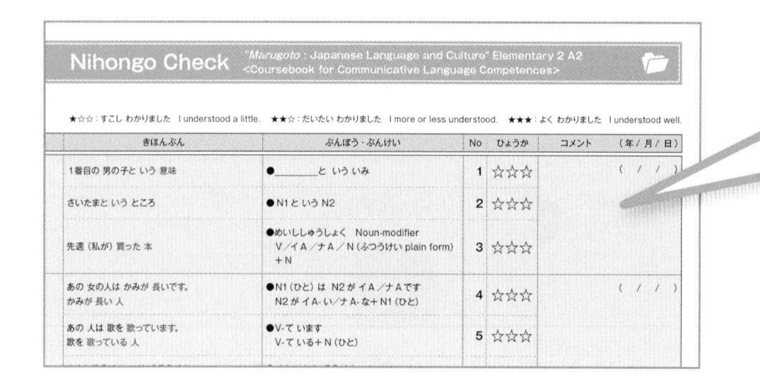

Nihongo Check "Marugoto : Japanese Language and Culture" Elementary 2 A2 <Coursebook for Communicative Language Competences>

★☆☆：すこし わかりました I understood a little. ★★☆：だいたい わかりました I more or less understood. ★★★：よく わかりました I understood well.

きほんぶん	ぶんぽう・ぶんけい	No	ひょうか	コメント	（年／月／日）
1番目の 男の子と いう 意味	●＿＿＿と いう いみ	1	☆☆☆		（ / / ）
さいたまと いう ところ	●N1と いう N2	2	☆☆☆		
先週（私が）買った 本	●めいししゅうしょく Noun-modifier V／イA／ナA／N（ふつうけい plain form）＋N	3	☆☆☆		
あの 女の人は かみが 長いです。かみが 長い 人	●N1（ひと）は N2が イA／ナAです N2が イA-い／ナA-な＋N1（ひと）	4	☆☆☆		（ / / ）
あの 人は 歌を 歌っています。歌を 歌っている 人	●V-て います V-て いる＋N（ひと）	5	☆☆☆		

コメントの例

- 日本語で少し長い文がつくれるようになった。
- 旅行のトピックで日本語を練習するのが楽しかった。
- 漢字の読み方をもっと知りたい。

2）ポートフォリオ

日本語と異文化理解の学習や体験を記録し、ふりかえるために、ポートフォリオには以下のようなものを入れます。

① にほんごチェック
② テスト
③ さくぶん
④ 日本語・日本文化の体験記録

5 テストについて

テストの方法と内容については、「テストとふりかえり」（p101-p102、p168-p169）を見てください。

6 関連情報

『まるごと』ポータルページ　**http://marugoto.org/**

以下の『まるごと』関連リソースをダウンロードしたり、学習支援サイトにアクセスしたりできます（無料）。

- 教科書といっしょに使う教材
  - ・音声ファイル
  - ・さくぶんシート
  - ・ごいインデックス
  - ・ひょうげんインデックス
  - ・かんじのことばリスト
  - ・にほんごチェック

  - ・ごいちょう（『まるごと』入門 A1）

- 学習支援サイト
  - ・「まるごと＋（プラス）」
  - ・「まるごとのことば」

- 教師用リソース

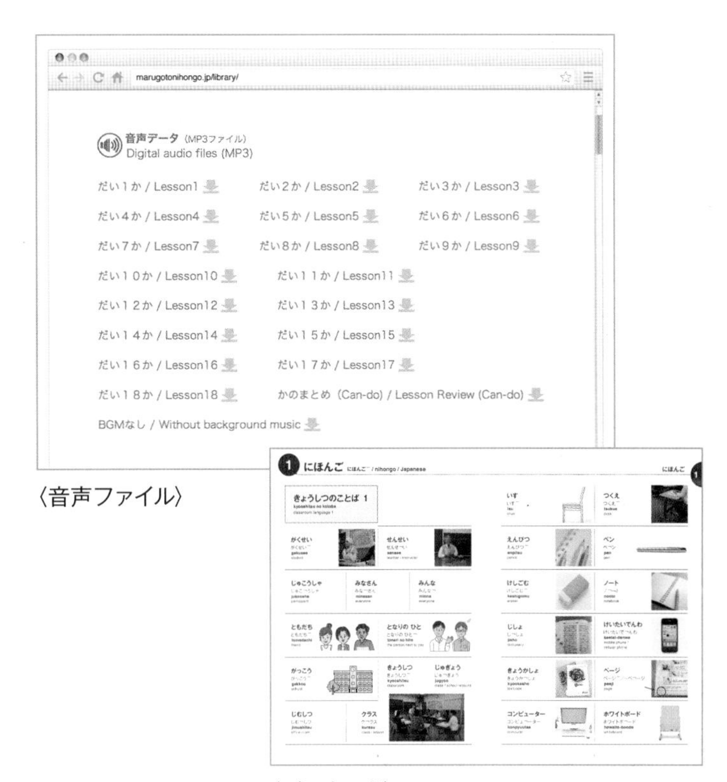

〈音声ファイル〉

〈ごいちょう〉

ないよういちらん 『まるごと 日本のことばと文化』初級 2 A2 <りかい>

トピック	か	ことば かんじ	かいわとぶんぽう きほんぶん	どっかい	さくぶん
1 新しい 友だち p21	**だい 1 か いい 名前ですね**	・自己紹介 ・せいかく 自己紹介、名前、意味、本屋、近く、住みます、働きます、~番目（1 番目）	・1番目の 男の子と いう 意味 ・さいたまと いう ところ ・先週（私が）買った 本	「あかちゃんの 名前」	「私の しゅみ」
	だい 2 か めがねを かけている 人です	・ふくそう ・こうどう 兄、お兄さん、姉、お姉さん、弟、妹、家族、長い、短い、低い、上手、歌、歌います	・あの 女の人は かみが 長いです。 ・かみが 長い 人 ・あの 人は 歌を 歌っています。 ・歌を 歌っている 人 ・やさしそうです。／上手そうです。 ・やさしそうな 人 ・短く きります。／上手に 歌います。 ・おいしそうに 食べています。	「あべさんの 新しい 友だち」	「私が 好きな人」*
ことばと文化	かぞくを ほめられたとき				
2 店で 食べる p37	**だい 3 か おすすめは 何ですか**	・レストランの 料理 ・料理の 材料 客、注文、洋食、和食、牛肉、地方、有名、生、冷たい	・この 店は おいしいので、よく 来ます。 ・私が 好きなのは、ステーキです。 ・野菜なら、この サラダが いいですよ。 ・1つずつ／2本ずつ／3人ずつ	「レストランの 注文」	「おすすめの レストラン」
	だい 4 か どうやって 食べますか	・ちょうみりょう ・食べ方 ご飯、塩、全部、~方（食べ方）、熱い、苦手、入れます	・食べては いけません／だめです。 ・飲んじゃ だめです／いけません。 ・飲み物は かんぱいしてから、飲みましょう。 ・とうふステーキに 塩を かけて 食べます。 ・何も つけないで 食べます。 ・とうふステーキに マヨネーズを つけて 食べると、おいしいです。	「日本の マヨネーズ」	「私の 国の 食べ物」*
ことばと文化	レストランで 店の 人を よぶとき				
3 沖縄旅行 p53	**だい 5 か ぼうしを 持っていった ほうが いいですよ**	・自然 ・旅行 木、森、島、自然、船、暑い、帰ります、予約します、運転します、~中（旅行中）	・ぼうしを 持っていった ほうが いいと 思います。 ・9月は 行かない ほうが いいですよ。 ・沖縄に 行く とき、船で 行きました。	「旅行の アドバイス」	「旅行についての しつもん」
	だい 6 か イルカの ショーが 見られます	・観光 観光地、女性、男性、動物、空気、料金、無料、明るい、便利、~中（一年中）	・おしろの 中が 見られます。 ・今日の ツアーは おどりも 見たし、音楽も 聞いたし、楽しめました。	「ツアーの かんそう」	「おれいの メール」*
4 日本祭 p69	**だい 7 か 雨が ふったら、どう しますか**	・ボランティアの 仕事 受付、広場、問題、同じ、集まります、始まります、終わります、中止します、教えます	・パウロさんは 日本語が 話せます。 ・日本語が 話せる 人 ・雨が ふったら、ホールで ぼんおどりを します。	「日本まつりの ボランティア」	「ボランティアの もうしこみ」
	だい 8 か コンサートは もう 始まりましたか	・イベント 祭り（日本祭）、会場、入場料、参加者、急ぎます、決めます、知ります	・じゅんびは もう 終わりましたか。 ・いいえ、まだ 終わっていません。 ・ペンは まだ ありますか。／まだ じゅんびを していますか。 ・ペンは もう ありません。／ペンは もう 全部 お客さんに あげました。 ・コンサートが 何時に 始まるか、知っていますか。	「日本祭の アンケート」	「ボランティアの かんそう」*
5 特別な 日 p85	**だい 9 か お正月は どう していましたか**	・カレンダー ・きもち 正月、年末、年始、親、忙しい、特別、帰国、喜びます	・休みは メキシコに 帰っていました。 ・親に 会えて、よかったです。 ・友だちに 会えなくて、ざんねんでした。 ・今年は 休みが 3 日しか ありませんでした。 ・私の 休みは 3 日間だけでした。	「新年の あいさつ」	「きせつの あいさつ」
	だい 10 か いい ことが ありますように	・願い事 幸せ、成長、長生き、願い事、合格、試験、大人、~式（成人式）、~市（さいたま市）	・わかい 人が 楽しめるように、いろいろな イベントが あります。 ・パーティーの 時間に おくれないように、はやく 行きましょう。 ・たなばたの とき、願い事を 書いたり して、楽しみます。 ・たなばたの とき、いい ことが あるように 願います。 ・わるい ことが おこらないように かみさまに いのりました。	「私の 願い事」	「ゆめの ために」*
ことばと文化	12 月 31 日の あいさつ				
テストとふりかえり 1 p101-p102					

トピック	か	ことば かんじ	かいわとぶんぽう　きほんぶん	どっかい	さくぶん
6 **ネット ショッピング** **p103**	**だい 11 か** **そうじ機が こわれて しまったんです**	・電気製品 ・インターネットショッピング 商品、電気製品、電子レンジ、～機（そうじ機）、店員、調子が悪い、動きます、考えます、音が出ます	・せんぷう機が 動かなく なりました。 ・せんぷう機が 動かなく なって しまいました。 ・ネットショッピングは 時間を 気に しないで 買い物できます。 ・電子レンジが とどくまで、1週間 かかりました。	「ネットショッピングの アンケート」	「電気製品についての しつもん」
	だい 12 か **こっちの 方が 安いです**	・電気製品の せつめい 機能、省エネ、日本製、重い、軽い、静か、早く、こっちの方、洗います、満足します	・この アイロンは 重すぎて、使いにくいです。 ・この アイロンは 軽くて、使いやすいです。 ・A モデルと B モデル（と）、どちらが 安いですか。 ・B の 方が 安いです。	「ユーザーコメント」	「しつもんへの へんじ」*
ことばと文化	じぶんの いけんと ちがう いけんを 言われた とき				
7 **歴史と 文化の 町** **p119**	**だい 13 か** **この お寺は 14 世紀に たてられました**	・ねんだい ・歴史的な ところ 京都、神社、お寺、仏教、歴史、世界、中心、～世紀（8世紀）、～的（日本的、歴史的）	・京都は いつ 来ても、楽しめます。 ・妹と 2 人で 京都に 来ました。 ・京都は 8世紀の 終わりに てんのうによって つくられました。	「むかしの 京都」	「私の 町の 歴史と 文化」
	だい 14 か **この 絵は とても 有名だそうです**	・博物館 ・いろいろな しせつ 飲食、禁止、説明、道具、博物館、必要、～階（2階）	・この 絵は 日本で 一番 古い マンガだそうです。 ・イベントを 知らせるために、カレンダーを 作ります。 ・おみやげを 買いたい 人の ために、店が あります。 ・受付に イベントカレンダーが おいてあります。	「まるごと博物館の サービス」	「博物館の 紹介」*
8 **せいかつと エコ** **p135**	**だい 15 か** **電気が ついた ままですよ**	・エコ活動 油、紙、温度、活動、会議室、寒い、出します、～度（28 度）、～点（100 点）	・会議室の 電気が ついたままです。 ・私は 自分の はしを 使うように しています。 ・私は わりばしを 使わないように しています。 ・自分の はしは、ごみを へらすのに いいです。	「エコ活動 アンケート」	「私の エコ活動」
	だい 16 か **フリーマーケットで 売ります**	・いらない もの 服、自転車、自動車、売ります、貸します、返します、変わります、～用（子ども用）	・服が 着られなく なりました。 ・服が 着られなく なったら、どう しますか。 ・ゆうこさんは ネクタイを バッグに しました。 ・ペットボトルが ふくに なりました。	「売ります・あげます」	「子どもの 服」*
ことばと文化	ほかの 人に ちゅういする とき				
9 **人生** **p151**	**だい 17 か** **この 人、知っていますか**	・しょくぎょう ・人生の できごと 人生、歌手、選手、画家、作家、入学、卒業、病気、若い、生まれます	・この 歌手は 2回目の 結婚を するそうです。 ・この 人は 画家に なってから、フランスに 行きました。 ・フランスに 行ってから、ずっと お金が ありませんでした。 ・画家は なくなるまで、フランスで 絵を かきました。 ・この 画家は 一番 有名かもしれません。	「ヤンさんの 人生」	「カーラさんの 人生」
	だい 18 か **どんな 子どもでしたか**	・思い出 ・きもち 思い出、生活、映画、夫、妻、両親、不便、選びます、寝ます	・私は 母に しかられました。 ・私は 先生に 絵を ほめられました。 ・朝 早く 起きるように なりました。 ・夜 テレビを 見なく なりました。 ・病気が よくなって、何でも 食べられるように なりました。 ・しゅうしょくしてから、友だちに あまり 会えなく なりました。	「子どもの ときの 思い出」	「今、私は」*
ことばと文化	友だちの あまり よくない きんきょうを 聞いた とき				
テストとふりかえり 2　p168-p169					

＊PDF のみ：URL → p9

Features of This Book

Marugoto: Japanese Language and Culture is a coursebook that is based on the JF Standard for Japanese Language Education. It has the following features.

● Japanese Levels of JF Standard for Japanese Language Education

Marugoto employs levels that correspond to the six stages of the JF Standard for Japanese Language Education (A1-C2). *Marugoto* (Elementary2) is A2 level.

A2 level

- Can understand sentences and frequently used expressions related to areas of most immediate relevance (e.g. very basic personal and family information, shopping, local geography, employment).
- Can communicate in simple and routine tasks requiring a simple and direct exchange of information on familiar and routine matters.
- Can describe in simple terms aspects of his/her background, immediate environment and matters in areas of immediate need.

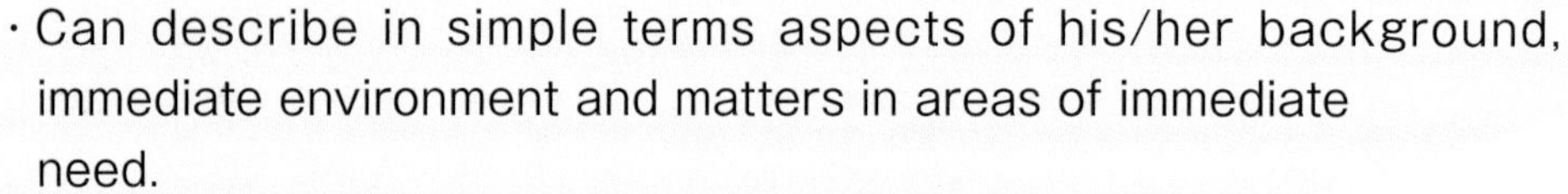

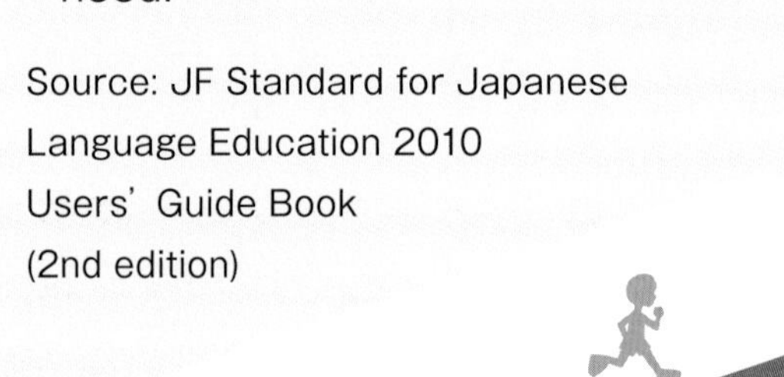

Source: JF Standard for Japanese Language Education 2010 Users' Guide Book (2nd edition)

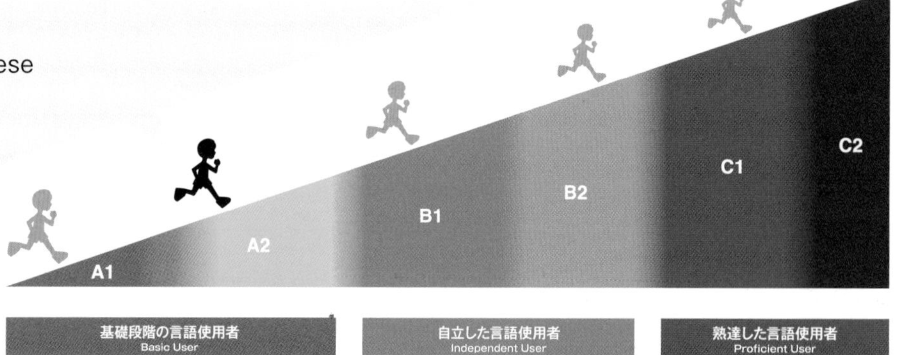

● Two *Marugoto* coursebooks: "*Katsudoo*" and "*Rikai*"

Marugoto offers two methods of study aimed at enabling you to communicate using Japanese: *Katsudoo* and *Rikai*.

Katsudoo : a coursebook for communicative language activities

- For people who want to start using Japanese immediately
- The objective is to gain practical ability communicating in everyday situations.
- You will practise listening to and speaking Japanese a lot.

Rikai : a coursebook for communicative language competences

- For people who want to learn about Japanese
- The objective is to study the features of the Japanese language that are necessary for communication.
- You will systematically study how Japanese is used in communication.

Katsudoo and *Rikai* should both be seen as main study materials. Decide which to choose based on your learning objectives. In addition, *Katsudoo* and *Rikai* use the same topics. If you use both, you can make progress in your overall Japanese proficiency.

● Intercultural Understanding

Marugoto offers learning in both language and culture. There is help with intercultural understanding in various places, such as the situations of the conversations, contents of the conversations, photographs and illustrations. Learn about Japanese culture, reflect on your own culture and deepen your intercultural understanding.

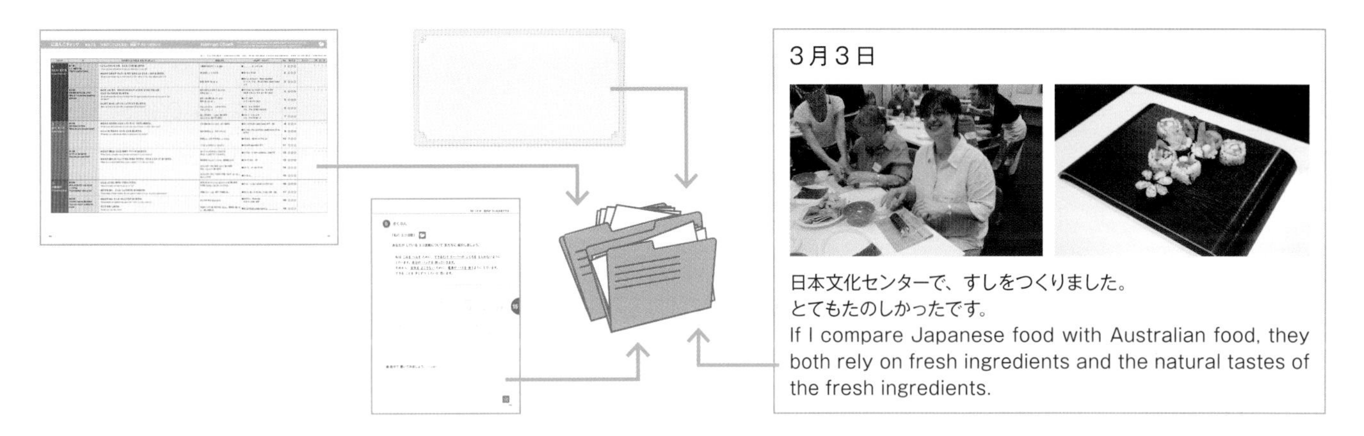

3月3日
日本文化センターで、すしをつくりました。
とてもたのしかったです。
If I compare Japanese food with Australian food, they both rely on fresh ingredients and the natural tastes of the fresh ingredients.

● Managing your own Study

It is very important to evaluate and manage your learning by yourself in order to keep going in language learning. Make a record of the Japanese language and culture you have studied using the portfolio. When you look at the portfolio, you can clearly understand your own learning processes and your accomplishments.

How to Use This Book

1 Course Flow

The *Marugoto* (Elementary2 A2 *Rikai*) course is designed with study of communicative language competences, mainly the language structures that underlie communication, at its heart (Japanese script, vocabulary, grammar and sentence patterns). The suggested class length for one lesson is around 120-180 minutes. In the middle and at the end of the course, you will do ' Test and Reflection' 1 and 2.

Course Example : with a class length of 120 minutes

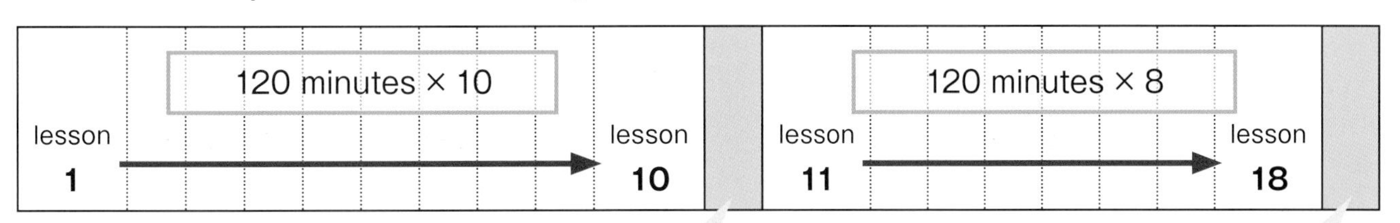

2 Topic and Lesson Flow

Each topic contains two lessons. Look at the photographs and talk about what you think the topic is. Look at the basic sentences and check what you are going to study in this lesson.

Before You Study

There are some questions about the topic. This preparation is to help you imagine the contents of the lesson, which will make it easier to understand.

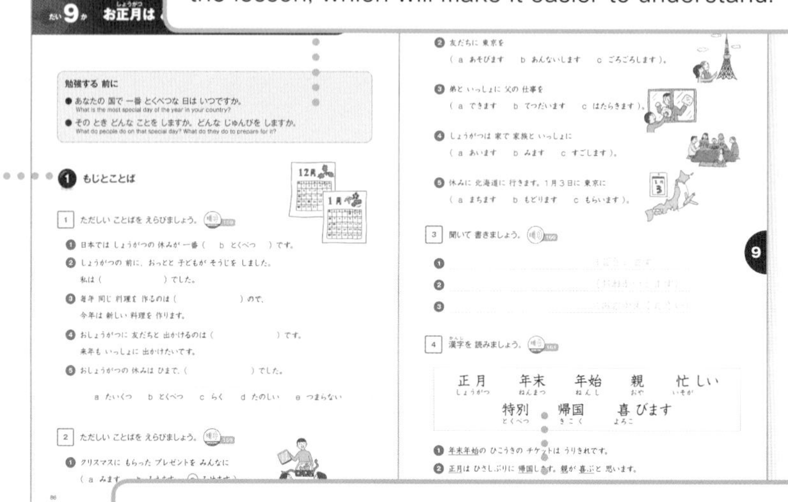

Japanese Script and Vocabulary

You will practice the Japanese characters and words used in this lesson. Organising words into topics is an effective way to learn new vocabulary.

Vocabulary index, etc. : URL→ p17

Kanji

Words related to the topic are displayed in kanji. You should first learn how to read the kanji. Kanji learned during the Starter(A1) and Elementary1(A2) Courses are also used in every lesson.

Conversation and Grammar 2-4

Audio files : URL→ p17

● **Model Conversation**

Read silently while listening to the recording, notice what grammar is used, and figure out what it means.

● **Sentence Structure**

You will be able to learn sentence structure and grammar rules.

● **Practice**

Practise using the grammar within the context/situation. Use the audio recording to check your answers.

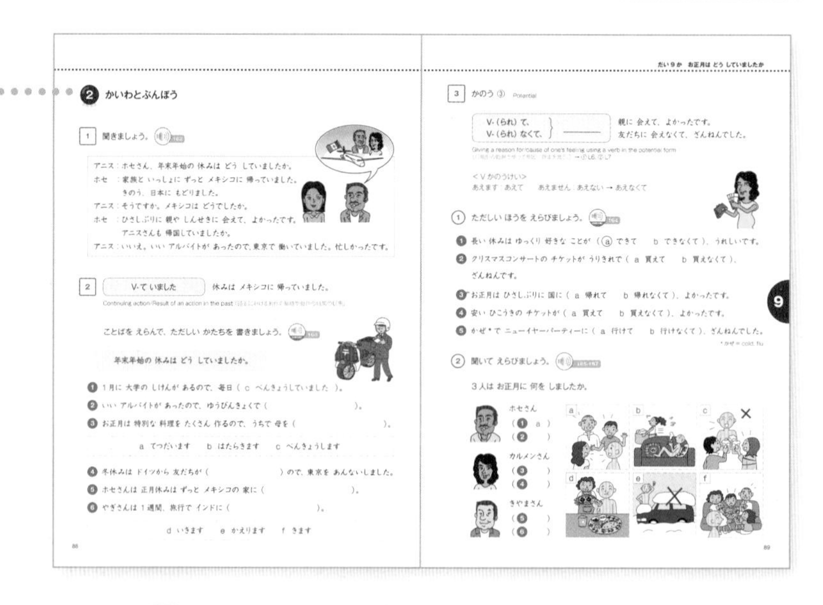

Yuko-san
Japan

Paku-san (Pak)
Korea

Kyasii-san (Kathy)
U.K.

Shin-san (Singh)
India

Karumen-san (Carmen)
Mexico

Tanaka-san
Japan

Kawai-san
Japan

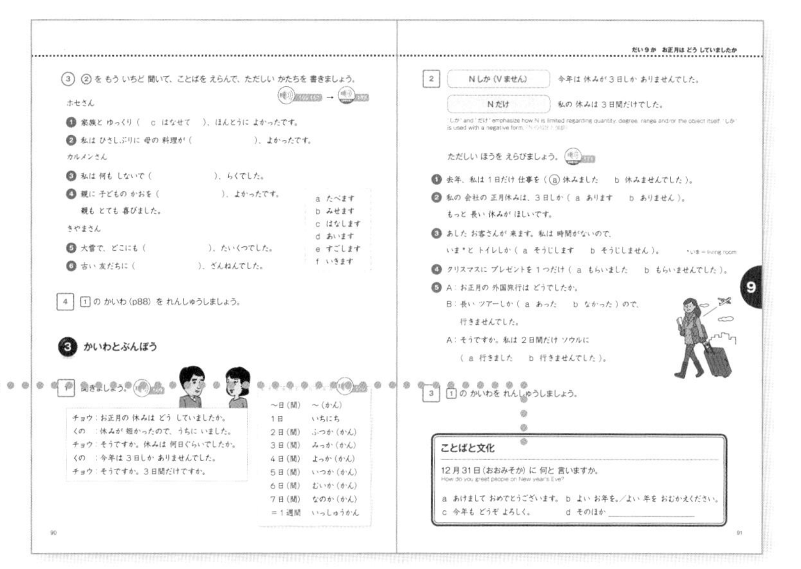

Language and culture

Think about how certain cultural aspects of Japan are revealed in the way Japanese is used in conversation.

Reading

Read a short text related to the topic. You should look carefully at the context in which the grammar and sentence patterns are used.

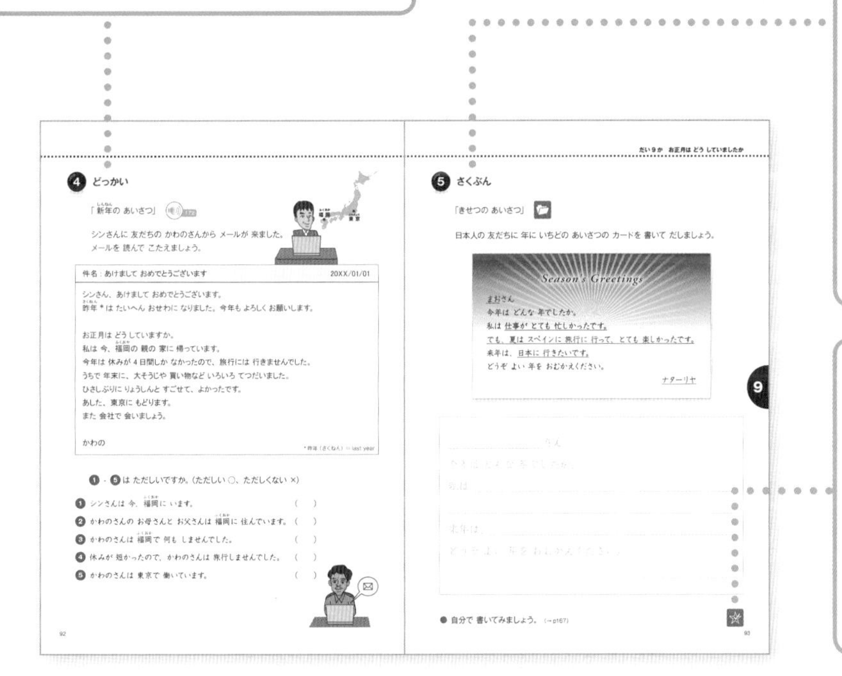

Writing

You will write a short text related to the topic. First, write about yourself, referring to the model text. Then, you will write everything out again by yourself on the worksheet (p167) . Once you have written your text you will put it in your portfolio.

PDF : URL→ p17

Nihongo Check

After the class, check by yourself whether you understood how to use the Japanese you encountered in this situation. 'Nihongo Check' (p194-p199) PDF : URL→ p17

Icons

Rate your Japanese study using the 'Nihongo Check'

Add to your portfolio

Audio sound

Listen and check

-san: In Japanese, *san* is put after other people's names to show respect or politeness. (Tanaka-*san*)

Norika-san
Japan

Yoshida-san
Japan

Rupa-san (Rupa)
India

Ishikawa-san
Japan

Yan-san (Yang)
Malaysia

Kaara-san (Carla)
France

Tairaa-san (Tyler)
U.K.

3 Activities for Intercultural Understanding

Marugoto is a course where you study language and culture together. You should use Japanese and experience Japanese culture outside the classroom as well.

- Look at Japanese websites
- Watch Japanese dramas and films
- Go to Japanese restaurants
- Go to events related to Japan
- Talk to Japanese friends and acquaintances

Talk about the things you have experienced outside the classroom with your classmates.

4 How to Manage your own Learning

1) 'Nihongo Check'

Do the 'Nihongo Check' (p194-p199) when you finish a lesson. Look back on your study and write comments. You can write in your preferred language.

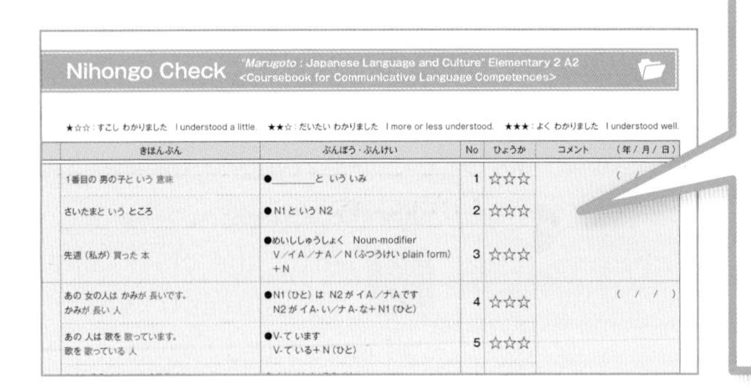

Nihongo Check *"Marugoto* : Japanese Language and Culture" Elementary 2 A2 <Coursebook for Communicative Language Competences>

★☆☆：すこし わかりました I understood a little. ★★☆：だいたい わかりました I more or less understood. ★★★：よく わかりました I understood well.

きほんぶん	ぶんぽう・ぶんけい	No	ひょうか	コメント （年／月／日）
1番目の 男の子と いう 意味	●＿＿＿と いう いみ	1	☆☆☆	（ /
さいたまと いう ところ	●N1と いう N2	2	☆☆☆	
先週（私が）買った 本	●めいししゅうしょく Noun-modifier V／イA／ナA／N（ふつうけい plain form） ＋N	3	☆☆☆	
あの 女の人は かみが 長いです。 かみが 長い 人	●N1（ひと）は N2が イA／ナAです N2が イA-い／ナA-な＋N1（ひと）	4	☆☆☆	（ / / ）
あの 人は 歌を 歌っています。 歌を 歌っている 人	●V-て います V-て いる＋N（ひと）	5	☆☆☆	

Examples of comments

- Now I can make slightly longer sentences in Japanese.
- I enjoyed practising Japanese in the lesson about travel.
- I'd like to know more kanji readings.

2) Portfolio

Make a record of both your study and experiences of Japanese language and intercultural understanding. In order to reflect, put the following kinds of things into your portfolio.

① 'Nihongo Check'
② Tests
③ Writing assignments (*Sakubun*)
④ Records of experiences with Japanese language and culture

5 Tests

For information about the procedure and contents of the tests, see 'Test and Reflection' (p101-p102 and p168-p169).

6 Related Information

Marugoto Portal Page **http://marugoto.org/**

You can download the resources and access the websites listed below free of charge.

- Resources to use with the textbook
  - Audio files
  - Sakubun worksheets
  - Vocabulary index
  - Phrase index
  - Kanji word list
  - Nihongo Check
  - Word book (*Marugoto* Starter A1)
- Learning support websites
  - MARUGOTO Plus
  - MARUGOTO Words
- Teachers' resources

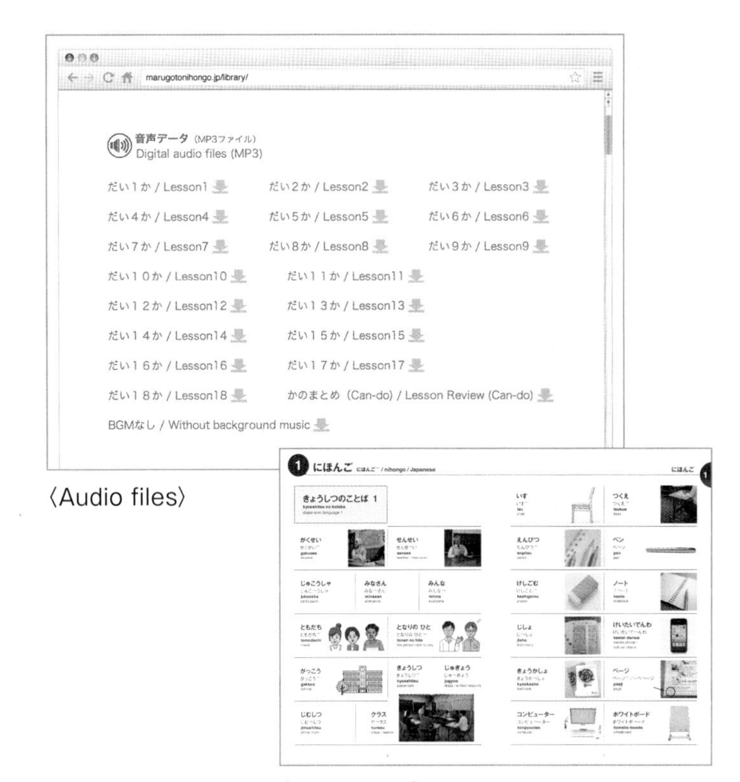

〈Audio files〉

〈Word book〉

Table of Contents

Marugoto: Japanese Language and Culture Elementary2 A2
〈 Coursebook for Communicative Language Competences 〉

Topic	Lesson	Vocabulary Kanji	Basic sentences in Conversation & Grammar	Reading	Writing
6 **Online shopping** ***Netto-shoppingu*** **p103**	Lesson 11 My vacuum cleaner has broken *Soojiki ga kowarete shimattandesu*	· Electrical appliances · Online shopping 商品、電気製品、電子レンジ、～機（そうじ機）、店員、調子が悪い、動きます、考えます、音が出ます	· *Senpuuki ga ugokanaku narimashita.* · *Senpuuki ga ugokanaku natte shimaimashita.* · *Netto-shoppingu wa jikan o ki ni shinaide kaimono-dekimasu.* · *Denshi-renji ga todoku made, 1-shuukan kakarimashita.*	Questionnaire about online shopping	Questions about an electrical appliance
	Lesson 12 This one is cheaper *Kocchi no hoo ga yasui desu*	· Description of an electrical appliance 機能、省エネ、日本製、重い、軽い、静か、早く、こっちの方、洗います、満足します	· *Kono airon wa omosugite, tsukainikui desu.* · *Kono airon wa karukute, tsukaiyasui desu.* · *A-moderu to B-moderu (to), dochira ga yasui desu ka.* · *B no hoo ga yasui desu.*	User comments	Replying to questions*
Language and Culture		When someone's opinion differs to yours			
7 **A town rich in history and culture** ***Rekishi to bunka no machi*** **p119**	Lesson 13 This temple was built in the 14th century *Kono otera wa 14-seeki ni tateraremashita*	· Eras · Historic sites 京都、神社、お寺、仏教、歴史、世界、中心、～世紀（8世紀）、～的（日本的、歴史的）	· *Kyooto wa itsu kitemo, tanoshimemasu.* · *Imooto to futari de Kyooto ni kimashita.* · *Kyooto wa 8-seeki no owari ni tennoo ni yotte tsukuraremashita.*	Kyoto in olden times	The history and culture of my town
	Lesson 14 I hear that this painting is very famous *Kono e wa totemo yuumee da soo desu*	· Museums · Various facilities 飲食、禁止、説明、道具、博物館、必要、～階（2階）	· *Kono e wa Nihon de ichiban furui manga da soo desu.* · *Ibento o shiraseru tame ni, karendaa o tsukurimasu.* · *Omiyage o kaitai hito no tameni, mise ga arimasu.* · *Uketsuke ni ibento-karendaa ga oite arimasu.*	Services in the Marugoto Museum	Introducing a museum*
8 **Life and eco-friendly activities** ***Seekatsu to eko*** **p135**	Lesson 15 The light has been left on *Denki ga tsuita mama desu yo*	· Eco-friendly activities 油、紙、温度、活動、会議室、寒い、出します、～度（28度）、～点（100点）	· *Kaigishitsu no denki ga tsuita mama desu.* · *Watashi wa jibun no hashi o tsukau yooni shite imasu.* · *Watashi wa waribashi o tsukawanai yooni shite imasu.* · *Jibun no hashi wa gomi o herasu no ni ii desu.*	Questionnaire about eco-friendly activities	My eco-friendly activities
	Lesson 16 I'll sell it at the fleamarket *Furiimaaketto de urimasu*	· Things no longer of use 服、自転車、自動車、売ります、貸します、返します、変わります、～用（子ども用）	· *Fuku ga kirarenaku narimashita.* · *Fuku ga kirarenaku nattara, doo shimasu ka.* · *Yuuko-san wa nekutai o baggu ni shimashita.* · *Pettobotoru ga fuku ni narimashita.*	Items for sale/free	Children's clothes*
Language and Culture		Reminding someone of something they were supposed to do			
9 **People's lives** ***Jinsee*** **p151**	Lesson 17 Do you know who this is? *Kono hito, shitte imasu ka*	· Occupations · Events in one's life 人生、歌手、選手、画家、作家、入学、卒業、病気、若い、生まれます	· *Kono kashu wa 2-kaime no kekkon o suru soo desu.* · *Kono hito wa gaka ni nattekara, Furansu ni ikimashita.* · *Furansu ni ittekara, zutto okane ga arimasendeshita.* · *Gaka wa nakunaru made, Furansu de e o kakimashita.* · *Kono gaka wa ichiban yuumee kamoshiremasen.*	Yan-san's life	Kaara-san's life
	Lesson 18 What kind of child were you? *Donna kodomo deshita ka*	· Memories · Feelings 思い出、生活、映画、夫、妻、両親、不便、選びます、寝ます	· *Watashi wa haha ni shikararemashita.* · *Watashi wa sensee ni e o homeraremashita.* · *Asa hayaku okiru yooni narimashita.* · *Yoru terebi o minaku narimashita.* · *Byooki ga yokunatte, nan demo taberareru yooni narimashita.* · *Shuushoku-shite kara, tomodachi ni amari aenaku narimashita.*	Childhood memories	Now, I am...*
Language and Culture		When your friend tells you about his/her recent frustrations			
Test and Reflection 2 p168-p169					

＊ PDF only : URL → p17

新しい 友だち

だい 1 か

いい 名前(なまえ)ですね

- 1番目の 男の子と いう 意味
- さいたまと いう ところ
- 先週 買った 本

だい 2 か

めがねを かけている 人です

- あの 女の人は かみが 長いです。／かみが 長い 人
- あの 人は 歌を 歌っています。／歌を 歌っている 人
- やさしそうです。／やさしそうな 人
- おいしそうに 食べています。

1

だい1か　いい名前（なまえ）ですね

勉強する 前に

- じこしょうかいの とき、どんな ことを 話しますか。
  What do you talk about when you introduce yourself?
- あなたの なまえや すんでいる 町の なまえには どんな いみが ありますか。
  What is the meaning of your name or the name of the town where you live?

1 もじと ことば

1　どれが ちがいますか。

1. じこしょうかいを します。
   （ a なまえ　 b しごと　 c てんき　 d しゅっしん ）
2. 私は きょうだいが います。
   （ a あに　 b いもうと　 c おとうと　 d おば ）
3. しゅみは 読書です。
   （ a ほん　 b かいしゃいん　 c ざっし　 d しょうせつ ）
4. しぜんが 好きです。
   （ a き　 b うみ　 c まち　 d かわ ）

2　ただしい ことばを えらびましょう。どんな 人ですか。

1. ほかの 人の ことを よく しんぱいしたり、てつだったり します。

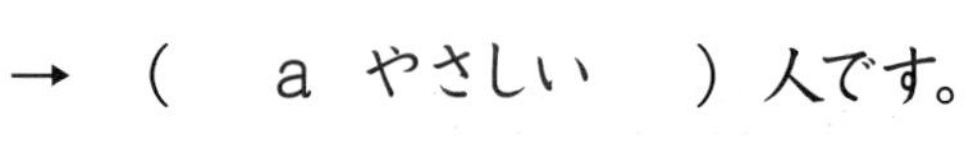

→ （ a やさしい ） 人です。

② よく 勉強や 仕事を します。
しゅくだいや やくそくを わすれません。
→ （　　c　　）人です。

③ あまり びょうきに なりません。
いつも 元気です。
→ （　　e　　）人です。

④ あまり 話しません。
でも、人の 話（はなし）を よく 聞きます。
→ （　　b　　）人です。

a やさしい　b しずかな　c まじめな　d ゆうめいな　e けんこうな

3 聞いて 書きましょう。

①

②

③

4 漢字（かんじ）を 読みましょう。

自己紹介（じこしょうかい）	名前（なまえ）	意味（いみ）	本屋（ほんや）	近く（ちか）
住みます（す）	働きます（はたら）	～番目（ばんめ）（1番目（いちばんめ））		

① 自己紹介を して ください。あなたの 名前は どんな 意味ですか。

② 私は むすこが ３人 います。１番目の むすこは 今年 30 さいです。

③ むすこは 私の 家の 近くに 住んでいます。大きい 本屋で 働いています。

② かいわとぶんぽう

1 聞きましょう。 005

いしかわ：はじめまして。いしかわいちろうです。
　　　　　いちろうは １番目の 男の子と いう 意味です。
ケイト　：いしかわさんは 何人きょうだいですか。
いしかわ：いもうとが ２人 います。
　　　　　上の いもうとは 大阪(おおさか)に 住んでいます。
　　　　　下の いもうとは さいたまと いう ところに います。
ケイト　：そうですか。

2 ＿＿＿＿＿という いみ　１番目の 男の子と いう 意味
Meaning... / It means ...

聞きましょう。 006-009

① 何の 名前について 話していますか。
② 名前は 何ですか。
③ どんな 意味ですか。

a 人　b おかし
c 町

ア しずかな 人　イ 英語で ホープ (hope)
ウ どろ*の 川　エ きの ケーキ

*どろ = mud

	❶	❷	❸	❹
①	a	b	a	c
②	しずか	バウム クヘン	のぞみ	＿＿＿＿ルンプール
③	ア	エ	イ	ウ

❶-❹の 名前の 意味を 言いましょう。　しずか は、しずかな 人と いう 意味です。

3　N1と いう N2

さいたまと いう ところ
N2 called N1（N1 は具体的な名称）

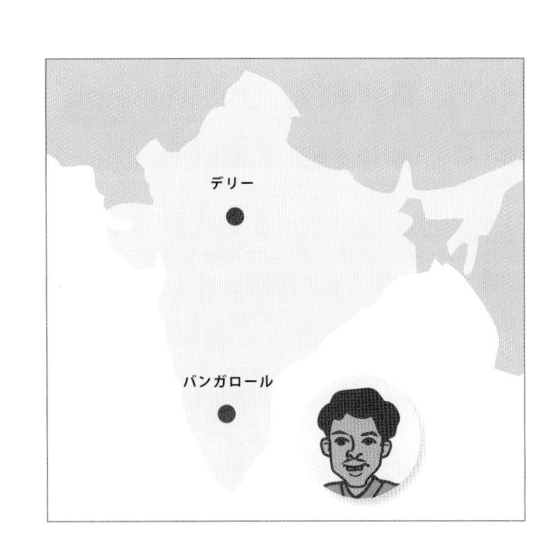

① 何について 話していますか。

a 学校　　b 会社　　c しゅっしん（町）
d 住んでいる ところ

② 何と いう 名前ですか。

	❶ たなかさん	❷ カーラさん	❸ のださん	❹ シンさん
①	b			
②	JF じどうしゃ			

③ ただしい ことばを 書きましょう。 CHECK! 014

❶ たなかさんは（ JF じどうしゃ ）と いう [かいしゃ] で 働いています。

❷ カーラさんは（　　　　）と いう [　　　] で 勉強しています。

❸ のださんは（　　　　）と いう [　　　] に 住んでいます。

❹ シンさんの しゅっしんは インドの（　　　　）と いう [　　　] です。

4　1 の かいわを れんしゅうしましょう。

あなたの 名前には どんな 意味が ありますか。

3 かいわとぶんぽう

1 聞きましょう。 015

のだ　：カーラさんは、休みの 日に 何を していますか。
カーラ：そうですね。よく 本屋に 行きます。
　　　　新しい 本や ざっしを 見るのは 楽しいですから。
のだ　：本屋ですか。よく 本を 買いますか。
カーラ：ええ、先週 買った 本は、村上春樹（むらかみはるき）と いう さっかの しょうせつです。

2 めいししゅうしょく Noun-modifier

V／イA／ナA／N（ふつうけい plain form）＋ N　　先週（私が）買った 本

The plain form is used to modify nouns.（名詞を修飾するときには普通形を使う。）

	ふつうけい (plain form)			
	ひかこ (non-past)		かこ (past)	
	こうてい (affirmative)	ひてい (negative)	こうてい (affirmative)	ひてい (negative)
V	Vる	Vない	Vた	Vなかった
イA	イAい	イAくない	イAかった	イAくなかった
ナA	ナA~~だ~~ → ナAな	ナAじゃない	ナAだった	ナAじゃなかった
N	N~~だ~~ → Nの	Nじゃない	Nだった	Nじゃなかった
そのほか	Vています → Vている Vたことが あります → Vたことが ある			

① ただしい ほうを えらびましょう。  016

❶ さいとうさんが 先週 パーティーで（ a 会う　ⓑ 会った ）人は、やまださんの 友だちです。

2 ハンスさんが さいきん よく（ a 行く　 b 行った ）店は、はなびと いう レストランです。

3 私が 今（ a ほしい　 b ほしかった ）ものは、でんしじしょです。

4 リリーさんが（ a 好きな　 b 好きだ ）マンガは、スポーツの マンガです。

5 かわいさんが 先月から ダンスを（ a ならった　 b ならっている ）学校は、家の 近くに あります。

② かいわを 聞いて、ことばを えらんで、ただしい かたちを 書きましょう。

017-020 → CHECK! 021

1 たなかさんが よく（　　　　　　　）店は、JF スーパーです。

2 キムさんが（　　　　　　　）国は、カナダです。

3 あべさんが 子どもの とき（　　　　　　　）野菜は、ピーマンです。

4 ワンさんが 今（　　　　　　　）アパートは、新しくて かいてきです。

a かいものします	b すんでいます	c すきでした
d りょこうしたいです	e にがてでした	

③ ペアで 話しましょう。

しつもん	私の こたえ	（　　　　）さんの こたえ
1 さいきん 買った ものは、何ですか。		
2 今までに 行ったことが ある 国は、どこですか。		
3 子どもの とき ほしかった ものは、何ですか。		
4		

3　1 の かいわを れんしゅうしましょう。

④ どっかい

「あかちゃんの 名前」 

すずきまりさんと ごしゅじんは、あかちゃんの 名前を かんがえています。
2人は どの 名前に すると 思いますか。1つ えらびましょう。　（　　）

つよい 子に なる
名前が いいです。

しぜんが 好きです。

a　けんた

「けんた」の「けん」は「けんこう」の「けん」。
けんたは けんこうな 人と いう 意味です。けんこうは 一番 たいせつです。

b　あきひこ

あきひこは、秋 うまれた 男の子と いう 意味です。
あかちゃんは 10月に うまれましたから、あきひこと いう 名前も いいです。

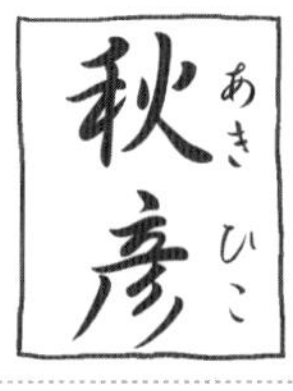

c　たいき

たいきは 大きい きと いう 意味です。
つよい 雨や 風の 日も がんばります。

d　まこと

まことは まじめな 人と いう 意味です。
勉強や 仕事を よく する 人で、やくそくを わすれない 人です。

5 さくぶん

「私の しゅみ」 

あなたの しゅみについて 書きましょう。

私は よく 休みの 日に 買い物を します。
先週 買った ものは、海の 絵です。
私の へやに かざっています。
つぎに 買いたい ものは、ソファです。

私は よく ________________

________________ は、

________________ です。

____

________________ は、

________________ です。

● 自分で 書いてみましょう。（→ p167）

だい 2 か　めがねを かけている 人です

勉強する 前に

- ほかの 人を 見て、その人の がいけんや ようすを せつめいする とき、どんな ひょうげんを 使いますか。
  What phrases do you use to describe the appearance of someone you see in the distance?
- はじめて 会った 人の いんしょうを どう 言いますか。
  How do you give your first impression of someone?

1 もじとことば

1 ただしい ことばを えらびましょう。

1. セーターを（　a　きます　）。
2. スカートを（　d　）。
3. めがねを（　e　）。
4. ネクタイを（　b　）。
5. スーツを（　a　）。
6. ぼうしを（　c　）。

a　きます	b　します
c　かぶります	d　はきます
e　かけます	

2 日本語で 何ですか。

1（b　すわります）　2（　a　）　3（　e　）　4（　c　）　5（　d　）

a　たちます　　b　すわります　　c　なきます　　d　もちます　　e　わらいます

3 どれが ちがいますか。

1 母は（ a やさしい b きびしい ⓒ うれしい ）人です。
2 友だちは 絵が（ ⓐ かんたん b じょうず c とくい ）です。
3 あねに 借りた コートは（ a みじかい b しずか ⓒ ながい ）です。
4 （ ⓐ たかい b ひくい c あまい ）くつを はいて パーティーに 行きました。

4 聞いて 書きましょう。 

1
2
3 わたしは

5 漢字（かんじ）を 読みましょう。 

兄（あに）／お兄（にい）さん	姉（あね）／お姉（ねえ）さん
弟（おとうと）	妹（いもうと）	家族（かぞく）

長（なが）い　短（みじか）い　低（ひく）い　上手（じょうず）　歌（うた）　歌（うた）います

1 私の 家族は ６人です。父、母、兄、姉、妹、そして 私です。
2 うちの いぬは かわいいです。はなが 低くて、足が 短いです。
3 友だちの お兄さんの しゅみは 歌を 歌うことです。
4 友だちの お姉さんは かみが 長いです。
5 友だちの 弟さんの しゅみは 料理です。とくに カレーが 上手です。

2 かいわとぶんぽう

1 聞きましょう。 029

パク　：今日は すずきさんの お姉さんが 来ていますよ。
さとう：え、どの 人ですか。
パク　：あそこです。歌を 歌っています。ほら、あの、かみが 長い 人です。
さとう：ああ、あの 人ですか。少し すずきさんと にていますね。

2

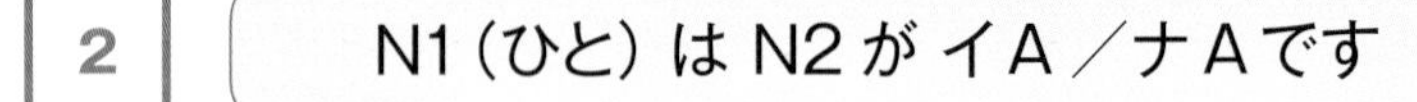

N1（ひと）は N2が イA／ナAです	あの 女の人は かみが 長いです。
N2が イA-い／ナA-な ＋N1（ひと）	かみが 長い 人

Description of N1 (a person)（人の特徴）

① 聞いて えらびましょう。 030-033

どの 人ですか。

❶ すずきさんの お姉さん	d
❷ なかむらさんの 妹さん	
❸ ホセさんの むすこさん	
❹ なかむらさんの お兄さん	

② ① の こたえを 見て ただしい ことばを 書きましょう。 CHECK! 034

a かみ
b せ
c 目

❶ すずきさんの お姉さんは、（　a かみ　）が（　ながいです　）。
❷ なかむらさんの 妹さんは、（　　　　）が（　　　　）。
❸（　　　　）が（　　　　）男の子は、ホセさんの むすこさんです。
❹（　　　　）が（　　　　）男の人は、なかむらさんの お兄さんです。

3

V-て います	あの 人は 歌を 歌っています。
V-て いる ＋N（ひと）	歌を 歌っている 人

Continuing action or result of an action. The plain form is used to modify nouns. The contracted form 'V-てます' 'V-てる' is often used in spoken Japanese.（進行中の動作や動作の結果の状態）

<てけい>

グループ	V- ます	V- て	グループ	V- ます	V- て
1	●います ●ちます ●ります	●って	2	●ます	●て
	●びます ●みます ●にます	●んで	3	します きます	して きて
	●きます	●いて			
	●ぎます	●いで			
	●します	●して			

2

① 1グループの どうしの てけいを 書きましょう。

1. たちます（　たって　）
2. はきます（　　　　）
3. のみます（　　　　）
4. かぶります（　　　　）
5. わらいます（　　　　）
6. はなします（　　　　）
7. あそびます（　　　　）
8. およぎます（　　　　）

② 5人は p32の イラストと ちがいます。
さがして 言いましょう。

dの 人は どこが ちがいますか。

ア では ネックレスを していますが、
イ では していません。

イ　a　b　c　d　e

4 1 の かいわを れんしゅうしましょう。

3 かいわとぶんぽう

1 聞きましょう。 035

ケイト　：いしかわさん、こんにちは。
いしかわ：こんにちは。今日は 家族と いっしょに 来ました。ほら、あそこに います。
ケイト　：ああ、やさしそうな おくさんですね。
いしかわ：そうですか。ときどき きびしいんですよ。
ケイト　：お子さん、かわいいですね。おいしそうに ケーキを 食べていますよ。

2

イA／ナA-そうです	やさし~~い~~ ＋ そうです → やさしそうです 上手~~な~~ ＋ そうです → 上手そうです
イA／ナA-そうな ＋N（ひと）	やさしそうな 人

Supposition based on the appearance of a thing, person, etc.（外見にもとづく推測）

① ただしい ほうを えらびましょう。

1. キムさんの お父さんの 写真を 見ました。会ったことは ありませんが、ちょっと（ a　きびしい　　b　きびしそうな ）人です。
2. さいとうさんと 私は 学生の ときから 友だちです。さいとうさんは とても（ a　まじめな　　b　まじめそうな ）人です。
3. あそこで あそんでいる 子どもたちは（ a　楽しいです　　b　楽しそうです ）。
4. やまださんの 友だちと はじめて 話しました。とても（ a　おもしろかったです　　b　おもしろそうでした ）。また 会いたいです。
5. いしかわさんの お子さんは ケーキを もらって、（ a　うれしかったです　　b　うれしそうでした ）。

② かいわを 聞いて、ことばを えらんで、ただしい かたちを 書きましょう。

４人の いんしょうは どうですか。

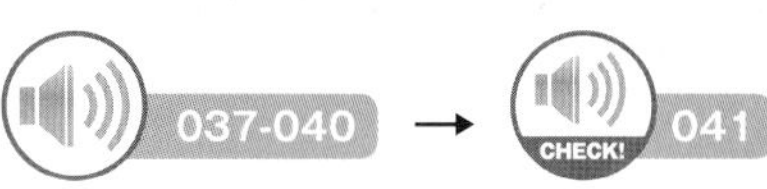

1. パクさんの 弟さんは（　a　まじめそうです　）。
2. カーラさんの 先生は（　　　　　　　　）。
3. ジョイさんの おまごさんは（　　　　　　　　）。
4. あべさんの 妹さんは（　　　　　　　　）。

a　まじめ
b　きびしい
c　やさしい
d　おもしろい
e　あたまが いい

3

イA-く ナA-に イA／ナA-そうに	V

短い → 短~~い~~く きります
上手な → 上手~~な~~に 歌います
おいしそうな → おいしそう~~な~~に 食べています

'イA-く' and 'ナA-に' modify verbs to describe the manner in/degree to which an action is done, or the appearance of something as a result of an action.（形容詞の副詞的用法）

ただしい かたちを 書きましょう。

1. 私は パーティーで 新しい 友だちと（　a　たのしく　）話しました。
2. 友だちは パーティーの 前に かみを（　　　　　　）きりました。
3. パーティーの へやに 花を（　　　　　　）かざりました。
4. ホセさんの むすこさんは １人で（　　b　　）すわっています。
5. 子どもたちは（　　　　　　）歌を 歌っています。

a　たのしいです
b　きれいです
c　しずかです
d　みじかいです
e　たのしそうです

2

4

1 の かいわを れんしゅうしましょう。

ことばと文化

やさしそうな ごしゅじんですね。

お子さん、頭が よさそうですね。

かぞくを ほめられたら、あなたは 何と 言いますか。
What do you say when somebody compliments a member of your family?

a　ありがとうございます。　b　そんな こと、ありません。
c　私も そう 思います。　d　そのほか ＿＿＿＿＿＿＿＿

4 どっかい

「あべさんの 新しい 友だち」 

２つの メールを 読んで こたえましょう。

件名：新しい 友だち

キムさん
こんにちは。
このあいだ パーティーに 行って 新しい 友だちが できました。
ルパさんと なかむらさんです。３人で とった 写真を 送ります。
ルパさんの しゅみは Ｊポップで、キムさんと おなじです。なかむらさんは 旅行会社（りょこうがいしゃ）で 働いていて、キムさんの 仕事と にています。今週の 土よう日、２人と いっしょに 食事を します。
キムさんも いっしょに 行きませんか。

あべ

件名：Re：新しい 友だち

あべさん
メールと 写真、ありがとう。
ルパさんは やさしそうな 人ですね。なかむらさんは ちょっと まじめそうですね。私も ２人と 話してみたいです。韓国（かんこく）料理は どうですか。安くて おいしい レストランを しっていますよ。

キム

❶-❺は ただしいですか。（ただしい ○、ただしくない ×）

❶ ルパさんと あべさんは パーティーで 会いました。 （ ○ ）

❷ あべさんは 新しい 友だちと 韓国（かんこく）に 旅行に 行きたいです。 （ × ）

❸ キムさんの しゅみは Ｊポップです。 （ ○ ）

❹ キムさんは なかむらさんに 会ったことが あります。 （ × ）

❺ キムさんは あべさんたちと 食事に 行きたいです。 （ ○ ）

店で 食べる

だい 3 か　おすすめは 何ですか

・この 店は おいしいので、よく 来ます。
・私が 好きなのは、ステーキです。
・野菜なら、この サラダが いいですよ。
・コーヒーと こうちゃ、２つずつ お願いします。

だい 4 か　どうやって 食べますか

・食べては いけません。／飲んじゃ だめです。
・飲み物は かんぱいしてから、飲みましょう。
・とうふステーキに 塩を かけて 食べます。
・マヨネーズを つけて 食べると、おいしいです。

3か　おすすめは 何ですか

勉強する 前に

- あなたは 友だちを どんな レストランに つれていきますか。
  What style of restaurant do you take your friends to when they visit?
- メニューを 見ながら どんな ことを 話しますか。
  What do you talk about while looking over the menu?

1 もじとことば

1 日本語で 何ですか。

a ポーク　b とりにく　c ぎゅうにく
d シーフード　e フルーツ　f とうふ

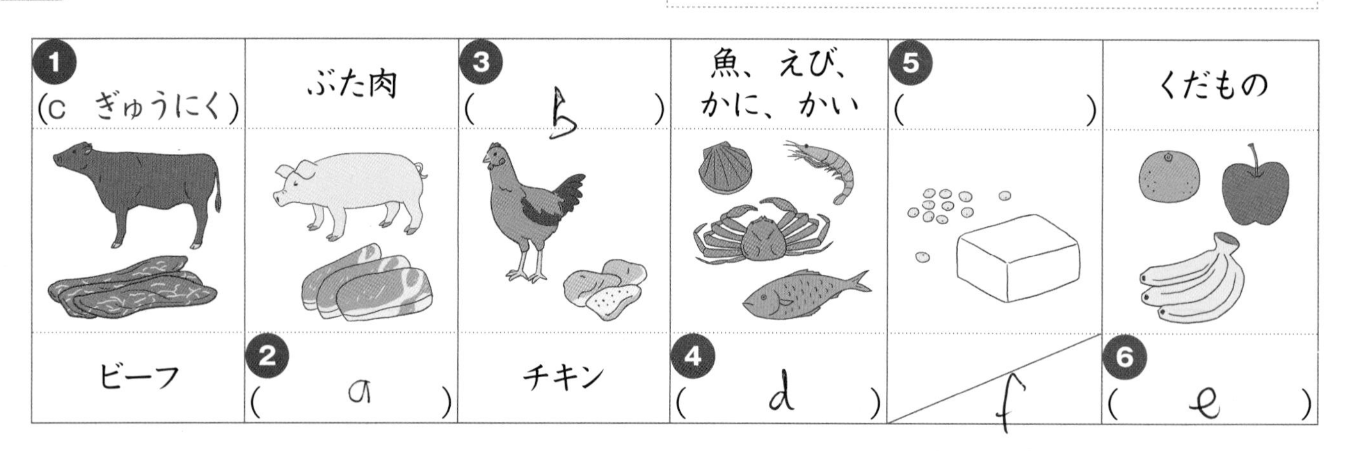

❶ (c ぎゅうにく)	ぶた肉	❸ (b)	魚、えび、かに、かい	❺ (　　)	くだもの
ビーフ	❷ (a)	チキン	❹ (d)	f	❻ (e)

2 ただしい ことばを 作りましょう。どんな 料理ですか。

❶ ビーフステーキ　ス テ ビ　(b)
❷ シ＿＿＿ード＿ラ＿　サ ダ フ ー　(　　)
❸ ＿ビ＿ラ＿　イ フ エ　(　　)
❹ ロ＿＿＿ト＿キ＿　ス チ ン ー　(　　)

a

b

c
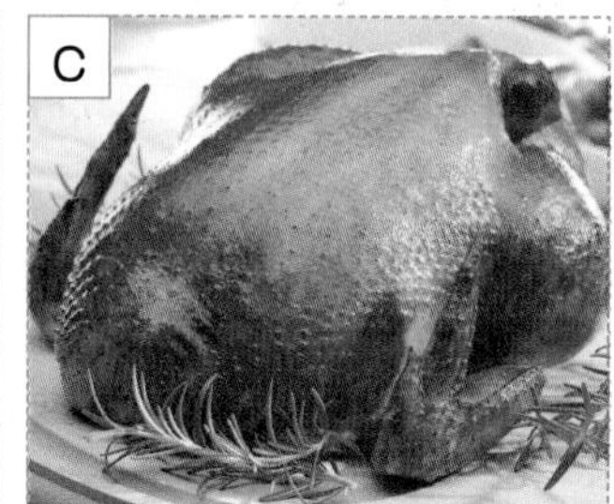
d

3 ただしい ことばを えらびましょう。 CHECK! 045

1. 野菜は（　　　　　）に いいです。私は 毎朝 食べています。
2. さしみは（　　　　　）の 魚の 料理です。
3. 友だちは（　　　　　）ですから、肉や 魚は 食べません。
4. これは この（　　　　　）の お酒です。とても めずらしいです。
5. この 料理は（　　　　　）が 多いですから、友だちと いっしょに 食べます。

a からだ　　b りょう　　c なま　　d ちほう　　e ベジタリアン

4 聞いて 書きましょう。 046

1. ______________________
2. ______________________
3. ______________________

5 漢字（かんじ）を 読みましょう。 CHECK! 047

客　　注文　　洋食　　和食　　牛肉
地方　　有名　　生　　冷たい

1. 冷たい 飲み物を 注文しましょう。生の 野菜も 食べたいです。
2. よかったら、この 地方の 料理を 食べてみて ください。
3. あの 店は 有名な 和食の レストランで、いつも 客が 多いです。
4. 兄は 洋食が 好きです。とくに 牛肉や とり肉の 料理を よく 食べます。

② かいわとぶんぽう

1 聞きましょう。 048

ルパ：ここ、いい 店ですね。おすすめの 料理は 何ですか。
あべ：この 店で 有名なのは、肉料理です。ビーフステーキとか
　　　ローストチキンとか 洋食が おすすめですよ。
ルパ：あ、私、ベジタリアンなので、肉や 魚は 食べないんです。
あべ：じゃあ、とうふの ステーキも ありますよ。
ルパ：へえ、おいしそうですね。

2 S1（ふつうけい plain form）ので、S2

この 店は おいしいので、よく 来ます。

S: Sentence
S1 is the reason for what is expressed in S2.（原因／理由）

注意：N／ナＡ だ な ＋ ので → ベジタリアンなので／有名なので

① ただしい ものを えらびましょう。

1. この 店は 有名なので、（ a ）。
2. 今日は さむいので、（ d ）。
3. これから 車を うんてんするので、（ c ）。
4. さいきん、つかれているので、（ b ）。

a お客さんが 多いです
b 体に いい 料理が 食べたいです
c お酒は 飲みません
d あたたかい 料理が 食べたいです

② かいわを 聞いて、ことばを えらんで、ただしい かたちを 書きましょう。

1. （ a ベジタリアンなので ）、肉は 食べません。
2. アレルギーが（ c ）、えびは だめです。
3. きのう 和食を（ d ）、今日は 洋食が 食べたいです。
4. この 料理は（ b ）、２人で 食べましょう。

a ベジタリアンです　b おおいです　c あります　d たべました

3　V／イA／ナA（ふつうけい plain form） の は、Nです

This sentence pattern emphasizes N.（強調）

注意：ナA だ な ＋ の は → すきなのは

私は ステーキが 好きです。　I like steak.
私が 好きなのは、ステーキです。　What I like is steak.

① ただしい ほうを えらびましょう。

1. この あたりで 一番（ a 有名な　b 有名なの ）は、レストラン「だるま」です。
2. この あたりは（ a いい　b いいの ）レストランが 多いです。
3. 私が よく（ a 行く　b 行くの ）レストランは、小さいけど おいしいです。
4. 私が よく（ a 食べる　b 食べるの ）は、とうふの ステーキです。

② ただしい かたちを 書きましょう。

「だるま」と いう レストランについて 話しています。

1. A：「だるま」レストランは どんな 料理が 人気が ありますか。
   B：「だるま」で（ にんきが あるの ）は、シーフードの 料理です。

2. A：今の きせつは 何が 一番 おいしいですか。
   B：今 一番（　　　　　　）は、かきです。
3. A：「だるま」で いつも 何を 飲みますか。
   B：私が いつも（　　　　　　）は、この 地方の ワインです。

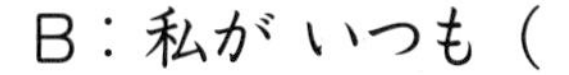

4. A：「だるま」で 何が 好きですか。
   B：私が（　　　　　　）は、エビフライです。

4　1 の かいわを れんしゅうしましょう。

あなたが よく 行く レストランは、どうですか。

3 かいわとぶんぽう

1 聞きましょう。 057

ルパ：生の 野菜が 食べたいんですが、おすすめが ありますか。
あべ：ああ、野菜なら、この サラダが いいですよ。
　　　でも、りょうが 多いので、２人で １つ 注文しませんか。
ルパ：はい、いいですよ。
あべ：あと、食事の 後で、コーヒーを 飲みますか。
ルパ：私は こうちゃ、お願いします。
あべ：じゃあ、コーヒーと こうちゃ、１つずつですね。

2 N1 なら、N2 が いいです（よ）　野菜なら、この サラダが いいですよ。

Taking up something another person said (N1) and offering a suggestion or opinion (N2).
（相手が言ったことを取り立てて、おすすめや意見を言う。）

ただしい ものを えらびましょう。

❶ A：何か あたたかい 料理、ありますか。
　 B：（ a あたたかい もの ）なら、コーンスープが いいですよ。

❷ A：野菜も 食べたいんですが。
　 B：野菜なら、（　　　　　　）が おすすめです。

❸ A：飲み物は 何が ありますか。
　 B：冷たい ものなら、（　　　　　　）が おいしいですよ。

❹ A：あまくない ものは 何が ありますか。
　 B：（　　　　　　）なら、アイスティーが ありますよ。

a あたたかい もの　　b あまくない もの
c きせつの サラダ　　d フルーツジュース

3 　N（かず quantity）ずつ

１つずつ　　２本ずつ　　３人ずつ
（Quantity）of each（ある数量を等分に割り当てるときに使う。）

イラストを 見て じょし（と・ずつ）を 書きましょう。

ご注文、おきまりですか。

コーヒー（ と ）こうちゃ、
２つ（ずつ）お願いします。

コーラ ３つ（ と ）、
ジュース ２つ お願いします。

コーヒー（ と ）こうちゃ、１つ（ずつ）、
あと、ジュース ２つ お願いします。

4 　1 の かいわを れんしゅうしましょう。

ことばと文化

レストランで 店の 人を よぶ とき、何と 言いますか。
What do you say when calling over a waiter/waitress in a restaurant?

a　すみません。
b　お願いします。
c　おねえさん！／おにいさん！
d（何も 言いません。手を あげます。）
e　そのほか ＿＿＿＿＿＿＿＿＿＿

4 どっかい

「レストランの 注文」 

３人は メニューを 見ています。一番 いい 料理を えらびましょう。

1 かわいさん　（　　）

私は アレルギーが あるので、えびと かにが 食べられません。
肉は 何でも だいじょうぶです。一番 好きなのは、牛肉です。
野菜も 毎日 食べます。私は おいしい ものを 少し 食べたいです。

2 キムさん　　（　　）

私は 何でも よく 食べます。食べ物の 好ききらいは ありません。
今日は つかれているので、肉や フライは あまり 食べたくないです。
体に やさしくて、あたたかい ものが いいです。

3 さいとうさん（　　）

えびや かに、とり肉が 好きです。さっき、ジムで うんどうしたので、
おなかが すいています。今日は 昼ごはんに エビフライを 食べたので、ほかの ものが 食べたいです。野菜は だいじょうぶですが、生の 野菜は あまり 好きじゃないです。

a かにと 生野菜の サラダ

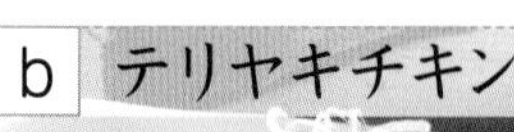

b テリヤキチキン

c エビフライ

d ビーフステーキ（300g）

e ビーフステーキ（120g）

f 卵の スープ

5 さくぶん

「おすすめの レストラン」 

あなたの 町の おすすめの レストランを しょうかいしましょう。

レストラン「ハンナ」
「ハンナ」は 洋食の レストランです。
料理が 安くて おいしいので、よく 行きます。
この 店で 私が いつも 食べるのは、
テリヤキビーフです。
肉と ソースが とても おいしいです。
よかったら、行ってみて ください。

URL: http//:www.hannah.xx
TEL: 0XX-1234-5678

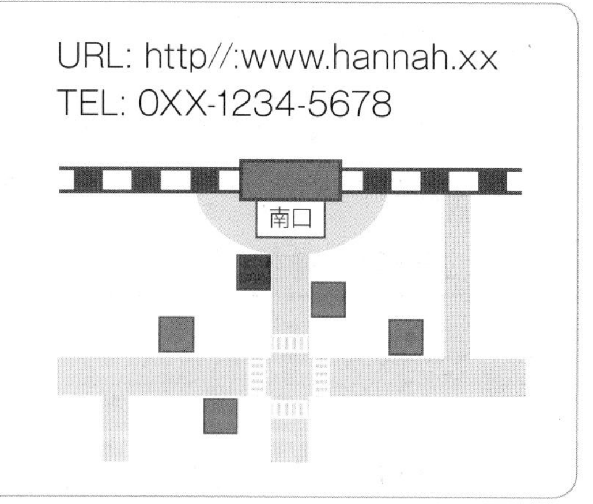

____

____________は____________です。

____________ので、よく 行きます。

この 店で____________のは、

____________です。

____

よかったら、行ってみて ください。

● 自分で 書いてみましょう。（→ p167）

3

だい4か　どうやって 食べますか

勉強する 前に

- あなたの 国には どんな 食事の マナーが ありますか。
  What kinds of table manners do you have in your country?
- あなたの 国の だいひょうてきな 料理は 何ですか。それは どうやって 食べますか。
  What is a typical dish from your country? How do you eat it?

1 もじとことば

1 かんけいが ある ことばを えらびましょう。

① からい　（ a　とうがらし ）
② あまい　（　c　）
③ すっぱい　（　d　）
④ しょっぱい（　b　）

a　とうがらし
b　しお
c　さとう
d　レモン

2 日本語で 何ですか。 

① とうふに しょうゆを（ b　かけます ）。
② 野菜に マヨネーズを（　c　）。
③ コーヒーに ミルクを（　a　）。
④ パンに バターを（　d　）。
⑤ 魚を（　e　）。

a　いれます
b　かけます
c　つけます
d　ぬります
e　やきます

3 ただしい ことばを えらびましょう。 

1. のどが（ d かわきました ）。何か 飲みたいです。
2. おなかが（ e すいて ）。何か 食べたいです。
3. 日本では 食事の とき、手で 茶わんを（ b ）。
4. 昼ごはんの カレーは、りょうが 多かったです。私は 少し（ c ）。
5. 日本の そばの 食べかた：おとを（ a ）。

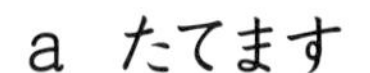

a たてます	b もちます	c いっぱいです
d かわきました	e すきました	f のこしました

4 聞いて 書きましょう。 

1. ______________________
2. ______________________
3. ______________________

5 漢字（かんじ）を 読みましょう。 

ご飯（はん）	塩（しお）	全部（ぜんぶ）	～方（かた）（食（た）べ方（かた））
熱（あつ）い	苦手（にがて）	入（い）れます	

1. 朝ご飯は いつも ご飯と みそしるです。
2. この 料理は 体に いいので、全部 食べて ください。
3. この スープは あまり 味が ないので、塩を 入れましょう。
4. 熱い 料理は 苦手です。いい 食べ方を おしえて ください。

2 かいわとぶんぽう

1 聞きましょう。 067

くの：ああ、のどが かわきました。飲み物、もう 飲んでも いいですか。
のだ：まだですよ。かんぱいする 前に、飲んじゃ いけませんよ。
くの：あ、まだ 飲んじゃ だめですか。
のだ：ええ。みんなで いっしょに かんぱいしてから、飲みましょう。
くの：はい、わかりました。

2

V-ては	いけません
V-ちゃ	だめです

V-ては → V-ちゃ：食べては → 食べちゃ いけません
V-では → V-じゃ：飲んでは → 飲んじゃ だめです

Keeping someone from doing something considered unacceptable. 'V-てはいけません' is used in written Japanese.
（制止。「V-ては いけません」は書き言葉）

① ただしい ほうを えらびましょう。

1. 車を うんてんして かえる 人は、お酒を
（ a 飲んでも いいです　b 飲んじゃ だめです ）。
2. 卵アレルギーの 人は オムレツを（ a 食べても いいです　b 食べちゃ いけません ）。
3. デザートの ケーキは たくさん あります。
1人 2つ（ a とっても いいです　b とっちゃ だめです ）。
4. けつあつ*が 高い 人は 食べ物に 塩を たくさん
（ a かけても いいです　b かけちゃ いけません ）。

* けつあつ = blood pressure

② 聞きましょう。4人の 国の マナーは どれですか。

1. フランス（ a ）
2. 韓国（かんこく）（ d ）
3. 中国（ c ）
4. インド（ b ）

a

b

c
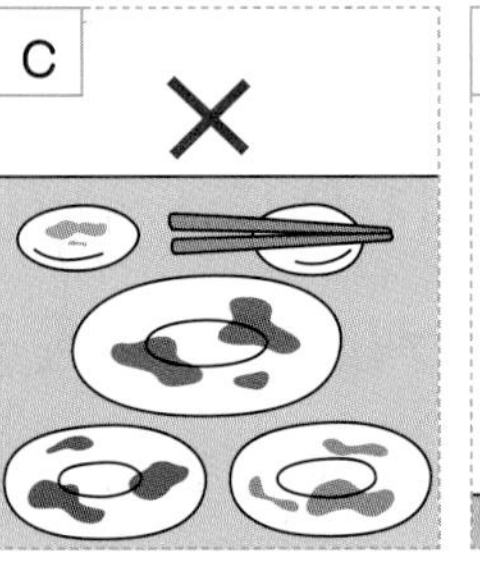
d

③ ４人の 国の マナーを 書きましょう。もう いちど ② を 聞いて、ことばを えらんで、ただしい かたちを 書きましょう。

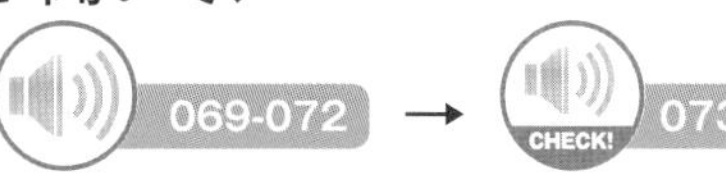

1. フランスでは おとを たてて スープを（ a のんでは ）いけません。
2. 韓国（かんこく）では 食事の とき、茶わんを（ もって ）いけません。
3. 中国では 料理を 全部（ たべて ）いけません。
   少し のこすのが マナーです。
4. インドでは 食事の とき、左手を（ つかって ）いけません。

a のみます　　b たべます　　c つかいます　　d もちます

● あなたの 国では どうですか。

3　V1-て から、V2

飲み物は かんぱいしてから、飲みましょう。
V1 and then V2.（動作や出来事の順序）→ L17

ことばを えらんで、ただしい かたちを 書きましょう。

1. A：この 店は 料理が いろいろ ありますね。
   B：はい。まず 飲み物を（ d ちゅうもんしてから ）、料理を きめましょう。
2. A：料理は いつ 来ますか。ちょっと おなかが すきました。
   B：飲み物が（ b そってから ）、料理が 来ると 思います。
3. A：日本人は 食べる 前に、何か 言いますか。
   B：はい。「いただきます」と（ いってから ）、食事を はじめます。
4. A：この スープは とても 熱そうですね。
   B：はい。ちょっと（ まってから ）、飲んだ ほうが いいですよ。

a いいます　　b きます　　c たべます　　d ちゅうもんします　　e まちます

4　1 の かいわを れんしゅうしましょう。

3 かいわとぶんぽう

1 聞きましょう。 075

あべ：とうふステーキ、おいしそうですね。
ルパ：あのう、どうやって 食べますか。何も つけないで？
あべ：はい。そのままで だいじょうぶです。
　　　でも、よかったら、塩と こしょうを もっと かけて ください。
ルパ：はい。…うん、おいしい。
あべ：とうふステーキに マヨネーズを つけて 食べると、もっと おいしいですよ。
ルパ：へえ！ でも ここには マヨネーズ、ありませんね。ざんねん。

2

V1-て V1-ないで	V2

とうふステーキに 塩を かけて 食べます。
何も つけないで 食べます。

Indicating the condition when the action V2 is taken.
（付帯状況。V2 の動作が行われるときの条件）→ L11

いれます	いれて	いれないで
かけます	かけて	かけないで
つけます	つけて	つけないで

かんがえて、1つ えらびましょう。

クイズ：日本人は どうやって 食べますか／飲みますか。

1. さしみに しょうゆを（ a つけて　b つけないで ）食べます。
2. お茶に さとうを（ a 入れて　b 入れないで ）飲みます。
3. ご飯に 生卵を（ a かけて　b かけないで ）食べます。
4. ビールに こおりを（ a 入れて　b 入れないで ）飲みます。

3 V- る と、＿＿＿＿＿

とうふステーキに マヨネーズを つけて 食べると、おいしいです。

Explaining a common or habitual fact（一般的事実、習慣的事実）

ただしい ものを えらびましょう。 

のだ　：くのさん、かにサラダ、食べていませんね。

　　　　かには（❶　b　にがてです　）か。

くの　：はい。アレルギーが あるので、

　　　　（❷　　　　　　）と、体が かゆく* なるんです。

のだ　：リリーさん、かにサラダ、どうですか。

リリー：はい、好きです。

　　　　かにサラダに（❸　　　　　　）と、おいしいですね。

のだ　：私、（❹　　　　　　）と、あせが でるんです*。

くの　：ははは、そうですか。めずらしいですね。

リリー：みんなで 食べると、（❺　　　　　　）ね。

* かゆい ＝ itchy　　* あせが でます ＝ perspire

a たのしいです	b にがてです	c かにを たべる
d すっぱい ものを たべる	e レモンを かける	

4 [1] の かいわを れんしゅうしましょう。

④ どっかい

「日本の マヨネーズ」 

サイトで せかいの 人たちの いけんを 読みましょう。

<マヨラーの へや> **マヨネーズが 大好きな マヨラーの みなさん、メッセージを どうぞ！**	
1　日本の マヨは すごい！	20XX/4/3　Mayosuki さん
私は マヨネーズが 大好きな アメリカ人です。アメリカの マヨネーズは、さとうが 入っているので、苦手です。日本の マヨネーズは あまり あまくなくて おいしいです！ いつも インターネットで 買って、野菜に つけたり、ピザに かけたり して 食べています。	
2　マヨトースト	20XX/4/5　マヨマヨ さん
私の おすすめは マヨトーストです。 作り方：まず、パンに マヨネーズを ぬります。それから、オーブントースターで やきます。 チーズを のせて やくと、もっと おいしく なります。こしょうを かけて どうぞ！	
3　おっとは マヨラー	20XX/4/5　マヨラーの つま さん
私は マヨラーです。こくさい結婚して、今 パリに 住んでいます。 おっとも 日本に 留学中に マヨネーズが 好きに なって、今は マヨラーに なりました。 ご飯や パスタなど、何にでも マヨネーズを かけて 食べています。	

❶ - ❹ は ただしいですか。（ただしい ○、ただしくない ×）

❶ マヨトーストの 作り方は やいてから、マヨネーズを ぬります。　（ × ）

❷ 日本の マヨネーズは あまいです。　（ × ）

❸ マヨラーは 何にでも マヨネーズを かけて 食べます。　（ ○ ）

❹ アメリカの マヨラー Mayosuki さんは インターネットで
マヨトーストを 買います。 

沖縄旅行

おきなわ

だい5か **ぼうしを 持っていった ほうが いいですよ**

・ぼうしを 持っていった ほうが いいと 思います。
・沖縄に 行く とき、船で 行きました。

だい6か **イルカの ショーが 見られます**

・おしろの 中が 見られます。
・今日の ツアーは おどりも 見たし、音楽も 聞いたし、楽しめました。

3

ぼうしを 持っていった ほうが いいですよ

勉強する 前に

- どんな ところに 旅行に 行きたいですか。
  Where would you like to go on a trip?
- 旅行する 前に、どんな じょうほうを あつめますか。
  What kind of information do you gather before you go on a trip somewhere?

1 もじとことば

a しぜん　b もり　c かわ
d しま　e かいがん

1 日本語で 何ですか。

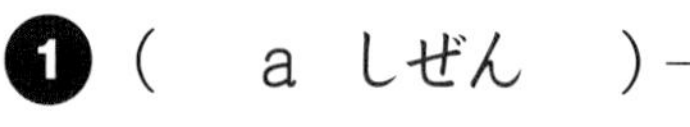

② (c)

③ (d)

④ (b)

⑤ (e)

2 ただしい ことばを 1つ えらびましょう。

① 沖縄(おきなわ)は しぜんが (c) かんこうちです。

② (d) 魚が たくさん います。

③ 沖縄(おきなわ)の 人は (a) ので、旅行が 楽しいですよ。

④ (b) くだものと おいしい 料理を 食べたいです。

a しんせつな　b しんせんな　c ゆたかな　d めずらしい

3 どれが ちがいますか。

1. （ a しぜん　b 沖縄（おきなわ）　c しまの なか ）を かんこうします。
2. （ a かいがんの ちかく　b やまの なか　c ツアーがいしゃ ）を ドライブします。
3. （ a じてんしゃ　b ホテル　c ダイビングの どうぐ ）を レンタルします。
4. （ a おすすめの レストラン　b ツアー　c シーズン ）を よやくします。
5. （ a ツアー　b ガイド　c パーティー ）に さんかします。

4 聞いて 書きましょう。

1. ＿＿＿＿＿＿＿＿＿＿＿＿＿＿＿＿
2. ＿＿＿＿＿＿＿＿＿＿＿＿＿＿＿＿
3. ＿＿＿＿＿＿＿＿＿＿＿＿＿＿＿＿

5 漢字（かんじ）を 読みましょう。

木	森	島	自然	船	暑い
き	もり	しま	しぜん	ふね	あつ

帰ります	予約します	運転します
かえ	よやく	うんてん

～中（旅行中）
ちゅう　りょこうちゅう

1. 沖縄（おきなわ）は 花や 木が きれいで、自然が ゆたかです。
2. 私は 島で 車を 借りて、運転しました。
3. 森に 行く ツアーを 予約しました。
4. 旅行中、とても 暑かったです。
5. 沖縄（おきなわ）から 船で 帰りました。

2 かいわとぶんぽう

1 聞きましょう。 084

ホセ　：かわいさん、こんど かぞくで 沖縄（おきなわ）に 行ってみたいんですが、9月は どうですか。
かわい：9月は できれば 行かない ほうが いいですよ。たいふうの シーズンですから。
ホセ　：そうですか。じゃあ、8月は どうですか。
かわい：8月は だいじょうぶです。でも、すごく 暑いですよ。
　　　　ぼうしや サングラスを 持っていった ほうが いいと 思います。

2

V-た V-ない	ほうが いいです（よ）

ぼうしを 持っていった ほうが いいと 思います。
9月は 行かない ほうが いいですよ。

Giving advice to do or not to do something. Often ends with 'よ' or と'おもいます' to have a softening effect.
（助言）

① ただしい ほうを えらびましょう。  085

沖縄（おきなわ）に 行ってみたいんですが。

1. 8月は 旅行の シーズンなので、ひこうきは はやく（ a 予約した　b 予約しない ）ほうが いいですよ。
2. 沖縄（おきなわ）は 電車が ないので、旅行中は 車を（ a 借りた　b 借りない ）ほうが いいと 思います。
3. おみやげは 旅行の はじめに（ a 買った　b 買わない ）ほうが いいですよ。お店は たくさん ありますから。
4. いい ライブハウスが ありますが、ライブハウスには 小さい 子どもを（ a つれていった　b つれていかない ）ほうが いいと 思います。
5. 空港には はやく（ a 行った　b 行かない ）ほうが いいですよ。チェックインカウンターが こみますから。

② ただしい かたちを 書きましょう。 

＜沖縄(おきなわ)旅行の アドバイス＞

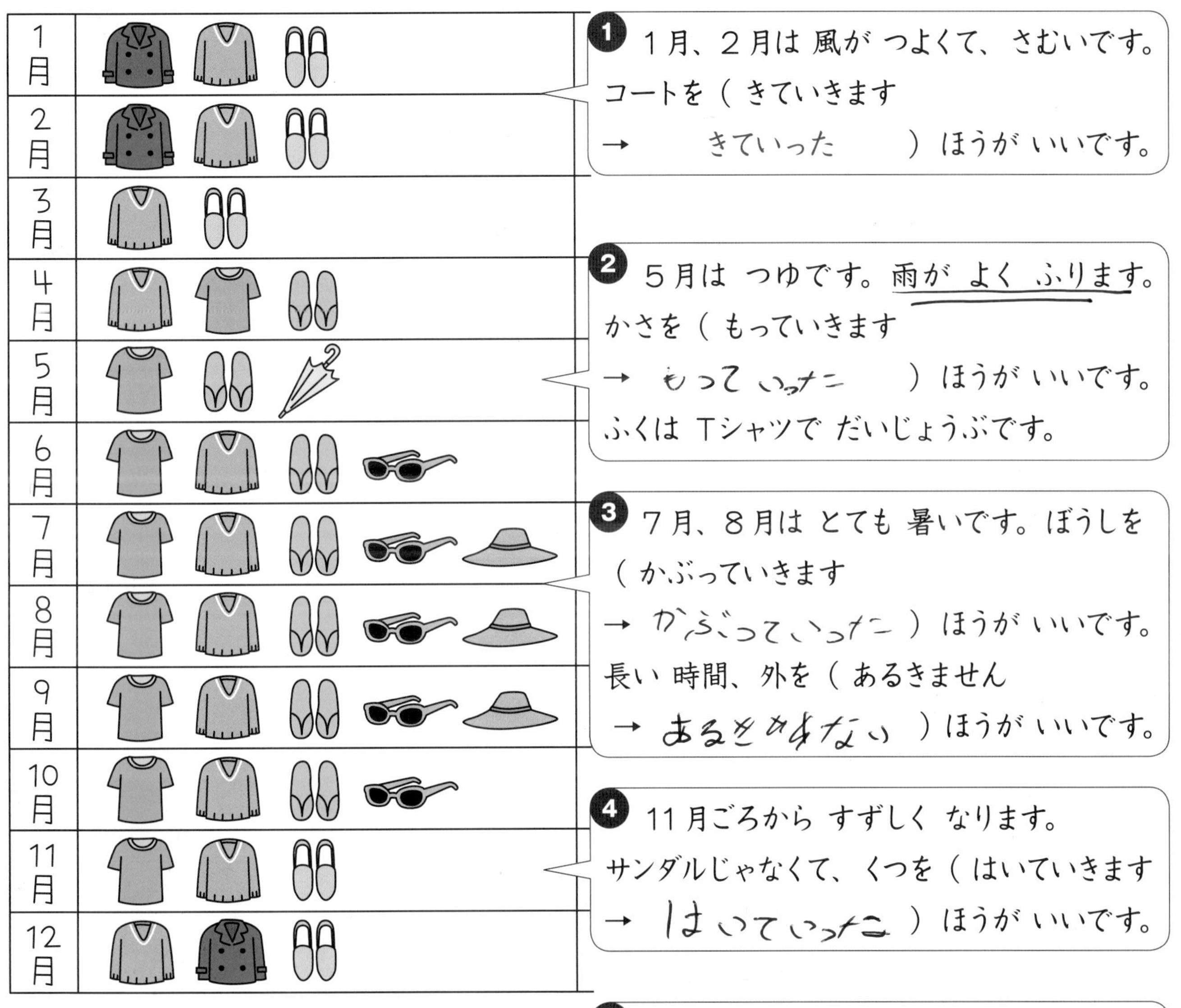

❶ 1月、2月は 風が つよくて、さむいです。コートを（ きていきます
→　きていった　）ほうが いいです。

❷ 5月は つゆです。雨が よく ふります。かさを（ もっていきます
→ もっていった　）ほうが いいです。ふくは Tシャツで だいじょうぶです。

❸ 7月、8月は とても 暑いです。ぼうしを（ かぶっていきます
→ かぶっていった ）ほうが いいです。長い 時間、外を（ あるきません
→ あるかない ）ほうが いいです。

❹ 11月ごろから すずしく なります。サンダルじゃなくて、くつを（ はいていきます
→ はいていった ）ほうが いいです。

❺ おみやげには お酒、おかし、くだものが おすすめです。お酒は おいしいですが、つよいです。
（ のみすぎません
→ のみすぎない ）ほうが いいです。

3 ［1］の かいわを れんしゅうしましょう。

あなたの 国を 旅行したい 人に アドバイスを して ください。

3 かいわとぶんぽう

1 聞きましょう。 087

ホセ　：かわいさん、沖縄(おきなわ)に 行く とき、どうやって 行きましたか。
かわい：行く ときは、船で 行きました。帰る ときは、ひこうきに 乗りました。
ホセ　：船は どうでしたか。
かわい：長かったですが、乗っている ときは、おもしろかったですよ。
　　　　でも 少し ゆれたので、ついた ときは、ほっと しました。

2 S1（V-る／V-ている／V-た） とき、 S2

S: Sentence
When S1, S2.

沖縄(おきなわ)に 行く とき、船で 行きました。

① 聞いて、ただしい ほうを えらびましょう。

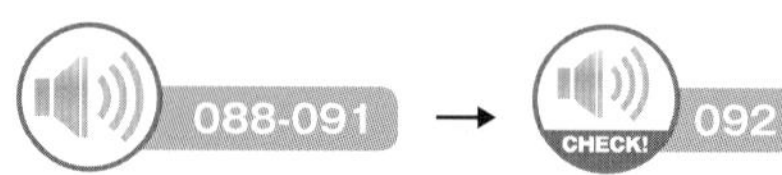

❶ 沖縄(おきなわ)の 空港から ホテルに（ a 行く　　b 行った ）とき、
モノレールで 行きました。けしきが 見えて よかったです。

❷ ビーチから ホテルに（ a 帰る　　b 帰った ）とき、
タクシーに 乗りました。らくでした。

❸ ツアーの バスに（ a 乗る　　b 乗っている ）とき、
ガイドさんの せつめいを 聞きました。とても おもしろかったです。

❹ 島まで 小さい ひこうきで 行きました。少し ゆれたので、こわかったです。
（ a つく　　b ついた ）とき、ほっと しました。

ほっ

② イラストを 見て、ただしい かたちを 書きましょう。 

森に 行く ツアーは とても 楽しかったです。

❶ 船に（のります → 　のる　）とき、まず ビーチで れんしゅうを しました。おもしろかったです。

❷ 船に（のります → ~~のる~~ のっている）とき、暑くて たいへんでした。

❸ 島に ついて、船を（おります → ~~あせる~~ おりた）とき、ほっと しました。

❹ 船を おりてから、森の 中を 歩きました。（あるきます → ~~あ~~ あるとき）とき、すずしくて きもちが よかったです。

③ 1 の かいわを れんしゅうしましょう。

3 （　　）に じょし（は・も・が）を 書きましょう。 

❶ A：沖縄(おきなわ)に 行ってみたいんです（ が ）、４月は どうですか。
B：４月ですか。朝（ は ）すずしいですが、昼（ が ）暑く なります。
沖縄(おきなわ)は 海（ ~~が~~ も ）山（ ~~が~~ も ）あって 楽しいですよ。

❷ ビーチに 行く とき（ は ）、レンタルの じてんしゃで 行きました。帰る とき（ は ）、バスに 乗りました。つぎの 日は 島に 行きました。行く とき（ も ）、帰る とき（ も ）、船で 行きました。天気が よくて、きもちが よかったです。

❸ A：沖縄(おきなわ)で ダイビングを してみたいんです（ が ）。
B：私は しませんでした（ が ）、おもしろいと 思います。
している 人を たくさん 見ましたよ。

4 どっかい

「旅行の アドバイス」

シュノーケリング <snorkeling>

沖縄（おきなわ）についての しつもんを 読みましょう。

しつもん 1 - 4 の アドバイスは どれですか。

1 この 夏、友だちと いっしょに 沖縄（おきなわ）に ダイビングに 行きます。
どうぐは 買った ほうが いいですか。 [b]

2 沖縄（おきなわ）の 海で シュノーケリングを してみたいです。
泳ぐのは 苦手ですが、しない ほうが いいですか。 [c]

3 夏休みに 沖縄（おきなわ）に 行きます。ドライブを したいんですが、
車は 空港で 借りた ほうが いいですか。おしえて ください。 [d]

4 ふだん* あまり 車を 運転しません。
レンタカーは 運転しない ほうが いいですか。あぶないですか。 [a]

*ふだん = usually

a
だいじょうぶだと 思います。
かいがんの 近くの 道は すいています。
でも、町の 中は バイクに 気を つけて
ください。

b
借りた ほうが いいと 思います。
買わない ほうが いいです。
買うと 10 万円ぐらい します。

c
もんだい ありません。
インストラクター* が いますから。

*インストラクター = instructor

d
それが いいと 思います。
車を かえす ときも らくです。

5 さくぶん

「旅行についての しつもん」 

あなたが 行きたい ところについて よく しっている 人に
メールで しつもんしましょう。

件名：おしえて ください

リリーさん
こんにちは。お元気ですか。
沖縄(おきなわ)で ダイビングを してみたいんですが、8 月は どうですか。
ダイビングツアーの 会社は どこが おすすめですか。
ダイビングの どうぐは 借りた ほうが いいですか。
時間が ある とき、おしえて ください。
シン

＿＿＿＿＿＿＿＿さん
こんにちは。お元気ですか。
＿＿＿＿＿＿＿＿＿＿＿＿＿＿＿＿たいんですが、
＿＿＿＿＿＿＿＿＿＿は どうですか。
＿＿＿＿＿＿＿＿＿＿＿＿＿＿＿＿＿＿
＿＿＿＿＿＿＿＿＿＿＿＿＿＿＿＿＿＿
時間が ある とき、おしえて ください。
＿＿＿＿＿＿＿＿

● 自分で 書いてみましょう。 （→ p167）

だい6か　イルカの ショーが 見られます

勉強する 前に

- あなたの 国に どんな かんこうちが ありますか。
  What kinds of sightseeing spots are there in your country?
- そこで 何を しますか。
  What can you do there?

1 もじとことば

1 ただしい ことばを えらびましょう。

3つの ことばから どんな ことばを かんがえますか。

1. 魚、川、しゅみ　（　a つり　）
2. ドライブ、借ります、車　（　d　）
3. 頭が いい、海、どうぶつ　（　e　）
4. かんこうち、買います、あげます　（　c　）
5. きれいな くうき、リラックスします、場所　（　b　）

a つり

b もり

c おみやげ

d レンタカー

e イルカ

2 どれが ちがいますか。

旅行

1 食べます
- a りょうり
- b おかし
- c くだもの
- d おてら

2 見ます
- a すいぞくかん
- b おどり
- c レストラン
- d ショー

3 海で あそびます
- a およぎます
- b つり
- c オペラ
- d ダイビング

4 山で あそびます
- a ピクニック
- b イルカと あそびます
- c キャンプ
- d やまのぼり

3 聞いて 書きましょう。 

1

2

3

6

4 漢字(かんじ)を 読みましょう。 

観光地（かんこうち）	女性（じょせい）	男性（だんせい）	動物（どうぶつ）	空気（くうき）
料金（りょうきん）	無料（むりょう）	明るい（あか）	便利（べんり）	～中（じゅう）（一年中（いちねんじゅう））

1 沖縄(おきなわ)は 観光地なので、一年中 人が 多いです。

2 森に 行く ツアーは 男性にも 女性にも 人気が あります。

3 料金は 1人 4,000円でしたが、小さい 子どもは 無料でした。

4 森で めずらしい 動物を 見ました。空気も きれいでした。

5 ホテルは へやが 明るくて、買い物に 便利で、よかったです。

2 かいわとぶんぽう

1 聞きましょう。

ジョイさんは 沖縄の ホテルで、
ツアーについて 聞いています。

ジョイ　　　：あのう、沖縄の れきしや 文化を しりたいんですが。
ホテルの 人：それなら、この ツアーは いかがですか。古い おしろの 中が 見られますよ。
ジョイ　　　：おもしろそうですね。
ホテルの 人：ええ。沖縄の 音楽も 聞けます。それから、めずらしい おかしも 食べられます。
ジョイ　　　：沖縄の 文化が 楽しめますね。

2 かのう ① Potential

N が V-（られ）ます

おしろの 中を 見ます。
→ おしろの 中が 見られます。

Possible to do something. Stating the possibility of an action under certain environmental conditions.
（環境や施設の条件によって可能なこと） → ② L7, ③ L9

<かのうけい>

<table>
<tr><th colspan="4">1 グループ</th><th colspan="2">2 グループ</th></tr>
<tr><td rowspan="3">あいます
かいます
ききます
およぎます
たのしみます</td><td rowspan="3">あえます
かえます
きけます
およげます
たのしめます</td><td rowspan="3">おくります
つくります
とります
のります</td><td rowspan="3">おくれます
つくれます
とれます
のれます</td><td>みます
たべます</td><td>みられます
たべられます</td></tr>
<tr><th colspan="2">3 グループ</th></tr>
<tr><td>します</td><td>できます</td></tr>
</table>

① 聞いて、ただしい ほうを えらびましょう。

1 この ツアーでは 沖縄ガラスで コップが（ a 作ります　b 作れます ）。
沖縄ガラスで 作った アクセサリーが（ a 買います　b 買えます ）。

2 しんせんな くだものを 食べる ツアーも 人気です。（ a 買った　b 買えた ）
くだものは 家まで（ a 送ります　b 送れます ）から、便利です。

❸ これは じてんしゃタクシーに（ ⓐ 乗って　 b 乗れて ）
町の 中を 観光する ツアーです。

❹ 沖縄（おきなわ）では ５月から 10月ごろまで（ a 泳ぎます　ⓑ 泳げます ）。
ダイビングは 一年中 （ a します　ⓑ できます ）。

② ただしい かたちを 書きましょう。 CHECK! 107

❶ ＜おしろツアー＞
沖縄（おきなわ）の れきしと 文化が わかります。おどりの ショーが 無料で
（ みます → みられます ）。１日に ３回 ガイドの あんないが あります。
くわしい せつめいが（ ききます → きけます ）。

❷ ＜森ツアー＞
めずらしい 動物が たくさん います。しんせんな 空気を すって、リラックス
（ します → できます ）。お昼に 沖縄（おきなわ）料理が（ たべます → たべられる ）。

❸ ＜文化むらツアー＞
沖縄（おきなわ）の 古い 家が たくさん あります。むかしの ふくを 着て 写真が
（ とります → とれます ）。沖縄（おきなわ）の 文化が（ たのしみます → たのしめます ）。

❹ ＜すいぞくかんツアー＞
１日に ３回 イルカの ショーが あります。イルカと いっしょに
（ およぎます → およげます ）。あかちゃんイルカにも（ あいます → あやます ）。

3　1 の かいわを れんしゅうしましょう。

3 かいわとぶんぽう

1 聞きましょう。 108

ジョイさんは ツアーから 帰ってきて、ホテルの 人と 話します。

ホテルの 人：お帰りなさい。今日の ツアー、どうでしたか。
ジョイ　　　：すばらしかったです。
　　　　　　　沖縄(おきなわ)の おどりも 見たし、音楽も 聞いたし、一日中、楽しめました。
ホテルの 人：そうですか。それは よかったです。

2 S（ふつうけい plain form）し、＿＿＿＿

S: Sentence
Listing the reasons or grounds for one's judgment/opinion; ...and besides...（根拠や理由を列挙する。）

今日の ツアーは おどりも 見たし、音楽も 聞いたし、楽しめました。

① ただしい かたちを 書きましょう。

❶ かわい：沖縄(おきなわ)旅行は どうでしたか。
ホセ　：いろいろな ところを（かんこうしました → かんこうした　）し、
　　　　海で（あそびました → あそびた　）し、家族 みんな 楽しめました。

❷ かわい：すいぞくかんツアーは どうでしたか。
ホセ　：よかったです。イルカの ショーも（みました → みた　）し、
　　　　イルカの あかちゃんにも（あいました → あいた　）し、
　　　　子どもたちも 大(おお)よろこびでした。

❸ かわい：沖縄(おきなわ)料理は 食べましたか。
ホセ　：ええ、もちろんです。
　　　　（おいしいです → おいしい　）し、
　　　　（ヘルシーです → ヘルシー　）し、つまも 私も 気に いりました。

❹ かわい：ホテルは よかったですか。

ホセ　：ええ。へやは（ ひろくて あかるいです → ひろくてあかるい ）し、

へやから 海が（ みえました → みえた ）し、さいこうでした。

かわいさんの おすすめの ホテルに して よかったです。

② しつもんの こたえを えらびましょう。 

沖縄（おきなわ）の ホテルから ジョイさんは よしださんに 電話しました。

❶ 沖縄（おきなわ）は どうですか。（ a ）

❷ きのうの ツアーは どうでしたか。（ f ）

❸ どんな おかしですか。（ c ）

❹ 今日は 何を しましたか。（ e ）

❺ ホテルは どうですか。（ d ）

❻ 天気は いいですか。（ b ）

a 自然は ゆたかだし、文化は おもしろいし、来て よかったです。
b まあまあです。少し さむいですが、晴れています。
c 名前は わかりませんが、まるくて あまい おかしです。
d へやは 広いし、ホテルの 人は しんせつだし、かいてきです。
e すいぞくかんに 行ったり、買い物したり しました。
f おもしろかったです。沖縄（おきなわ）の おどりも 見たし、
めずらしい おかしも 食べたし、楽しめました。

3 1 の かいわを れんしゅうしましょう。

あなたの 旅行の かんそうを 話しましょう。

4 どっかい

「ツアーの かんそう」 

ツアーの かんそうを 読みましょう。3人は どの ツアーに さんかしましたか。

1 海は うつくしいし、空気は しんせんだし、さいこうでした。
牛車(ぎゅうしゃ)に 乗っている 時間は 15分ぐらいですが、
リラックスできました。 b

2 船に 乗って 30分で 会えました。ガイドさんの せつめいは
おもしろいし、ダイナミックな 泳ぎは すばらしいし、楽しめました。
いい おもいでに なりました。 a

3 私は 家族と いっしょに さんかしました。
スタッフが しんせつなので、子どもでも かんたんに 作れます。
楽しいし、おみやげに なるし、家族 みんな 大(おお)よろこびでした。 c

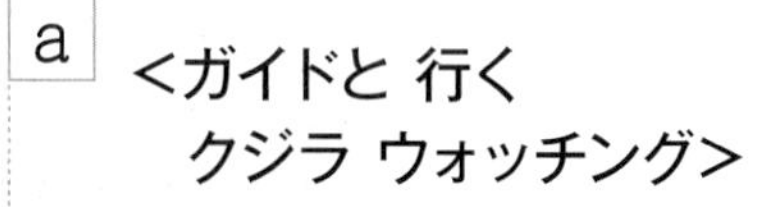

b <のんびり、リラックス。島ツアー>

c <沖縄(おきなわ)ガラスで いろいろ 作りましょう>

日本祭（にほんまつり）

だい7か　雨が ふったら、どう しますか

・パウロさんは 日本語が 話せます。／日本語が 話せる 人
・雨が ふったら、ホールで ぼんおどりを します。

だい8か　コンサートは もう 始（はじ）まりましたか

・じゅんびは もう 終わりましたか。…いいえ、まだ 終わっていません。
・ペンは まだ ありますか。…もう ありません。
・コンサートが 何時に 始まるか、知っていますか。

4

7か　雨が ふったら、どう しますか

勉強する 前に

- あなたの 町では 日本の イベントが ありますか。
  Are there any events related to Japan in your town?
- イベントを てつだったことが ありますか。
  Have you ever helped out at an event?

1 もじと ことば

1　日本語で 何ですか。

1 

2 

3 

4 

a しかい
b つうやく
c さつえい
d うけつけ

①（ a しかい ）②（ d ）③（ b ）④（ c ）

2　ただしい ことばを えらびましょう。 

のりかさんの 町では 毎年 日本まつりと いう イベントを します。

1. のりかさんは ボランティアを する 人を（ b さがします ）。
2. うけつけは 午前 10 時に（ a ）。
3. ボランティアスタッフは 9 時に かいじょうに（ d ）。
4. 日本まつりの 後、すぐに いすや テーブルを（ c ）。
5. 大雨（おおあめ）の とき、まつりは（ e ）。

a はじまります　b さがします　c かたづけます
d あつまります　e ちゅうしします

3 ただしい ことばを えらびましょう。 

1. 来週の 土よう日、（ a らくです b ひまです ）から、私は 日本まつりで さつえいの 仕事を します。
2. 私は 日本語で つうやくを したことが ありません。（ a じしん b しんぱい ）が ありません。
3. かいじょうの じゅんびと かたづけが（ a ふべんな b たいへんな ）ので、たくさんの 人が 働きます。
4. 日本まつりは 人が たくさん 来るので、プログラムが もっと（ a ひつようです b べんりです ）。

4 聞いて 書きましょう。 

1. ____________________
2. ____________________
3. ____________________

5 漢字（かんじ）を 読みましょう。 

受付（うけつけ）	広場（ひろば）	問題（もんだい）	同（おな）じ	集（あつ）まります
始（はじ）まります	終（お）わります	中止（ちゅうし）します	教（おし）えます	

1. ボランティアの 仕事は ９時に 始まって、６時に 終わります。
2. ボランティアの 人は ８時半に かいじょうに 集まります。
3. 私は 受付の 仕事を します。去年と 同じなので、問題 ありません。
4. 私の 姉は 広場で ぼんおどりを 教えます。雨の ときは、中止します。

② かいわとぶんぽう

1 聞きましょう。 121

のりか：パウロさん、日本まつりって しっていますか。
パウロ：はい、しっていますよ。
のりか：今、日本まつりの カラオケコンテストで しかいが できる 人を さがしています。
パウロさん、お願いできませんか。
パウロ：えっ、しかいの 仕事は したことが ないので、じしんが ありません。
のりか：パウロさんは 日本語が 上手に 話せますから、だいじょうぶですよ。
お願いします。
パウロ：そうですか。わかりました。じゃあ、やってみます。

※しっています → しってます（話すとき）

2 かのう ② Potential

Nが V-（られ）ます	パウロさんは 日本語が 話せます。
Nが V-（られ）る＋ひと	日本語が 話せる 人

Be able to do something. Having the ability or skill to do something. The plain form is used to modify nouns.
（能力、技術）→ ① L6, ③ L9

① ただしい かたちを 書きましょう。

<かのうけい>

1グループ		2グループ	
うたいます	（❶ うたえる）	おしえます	（❻ おしえられる）
（❷ つかう）	つかえます	たべます	たべられます
かきます	かけます	3グループ	
（❸ はなす）	はなせます	します	できます
よみます	（❹ よめます）	きます	こられます
おどります	（❺ おどれる）		

② 聞きましょう。 

２人は ❶ - ❹ の 仕事が できますか。（はい ○、いいえ ×）

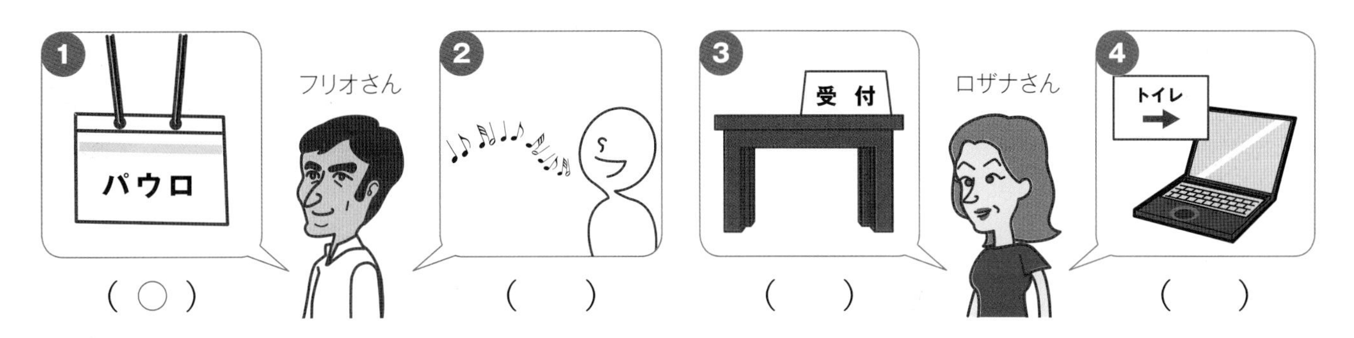

❶ （ ○ ）　❷ （　　）　❸ （　　）　❹ （　　）

③ ② を もう いちど 聞いて、ただしい かたちを 書きましょう。 

→ CHECK! 126

❶ フリオさんは カタカナで スタッフの 名前が（　かけます　）。

❷ フリオさんは 日本の 歌が 大（だい）好きですが、（　うたえ ~~れ~~ ません　）。

❸ ロザナさんは 受付の 仕事が（　できます.　）。

❹ ロザナさんは コンピューターで 日本語の はりがみ* が（　つく ~~れ~~ られません）。

* はりがみ = poster, sign

④ できる 人を さがして はっぴょうしましょう。

	できる 人
❶ 日本の 歌が 歌える 人	（　　　　　　）さん
❷ 日本の おどりが おどれる 人	
❸ ビデオカメラが 使える 人	
❹ 友だちの 名前が 日本語で 書ける 人	

私たちの グループで 日本の 歌が 歌える 人は ＿＿＿＿＿＿ さんと ＿＿＿＿＿＿ さんです。

3 　1 の かいわを れんしゅうしましょう。

3 かいわとぶんぽう

1 聞きましょう。 127

のりかさんが ボランティアの 人に
せつめいしています。

のりか：あしたの ぼんおどりですが、午後３時に 広場に 集まって ください。
マリア：午後３時ですね。わかりました。雨が ふったら、どう しますか。中止ですか。
のりか：いいえ。雨が ふったら、広場の となりの ホールで します。
マリア：時間は 同じですか。
のりか：はい、同じです。３時に ホールに 集まって ください。

2 じょうけん ① Conditional

S1 たら、 S2

雨が ふったら、ホールで ぼんおどりを します。

S: Sentence
S1 indicates a condition for S2 to be undertaken; if; when. S1 takes plain past form.（仮定条件。S1 は普通形）
→ ② L16

<ふつうけい かこ (plain past form) ＋ ら>

	V	イA	ナA	N
こうてい (affirmative)	ふった ら	おおかった ら	ひまだった ら	雨だった ら
ひてい (negative)	ふらなかった ら	おおくなかった ら	ひまじゃなかった ら	雨じゃなかった ら

注意：いい → よかったら／よくなかったら

① えらびましょう。どの ぶんが つづきますか。

1. 人が たくさん 来たら、(a)。
2. かいじょうが 暑かったら、(c)。
3. 雨が ふったら、(d)。
4. プログラムが なかったら、(e)。
5. かたづけが はやく 終わったら、(b)。

a 受付時間を はやく して ください
b ほかの 人を てつだって ください
c エアコンを つけて ください
d 外で する イベントは 中止です
e じむしつに とりに 行って ください

② ただしい かたちを 書きましょう。 

❶ A　　：かいじょうに わすれものが（ あります → 　あったら　 ）、どう しますか。

のりか：わすれものは 全部 受付に 持っていって ください。

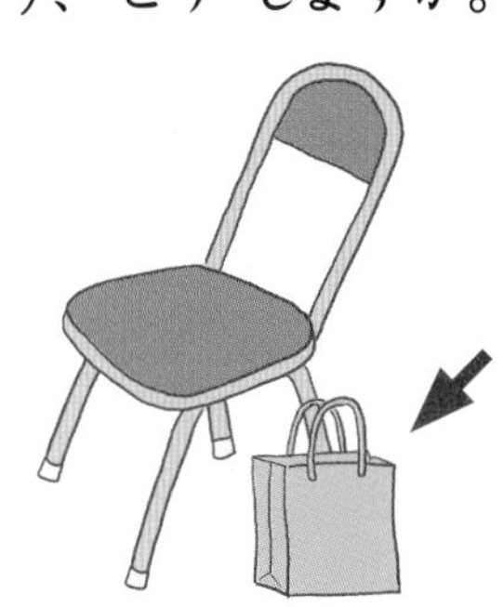

❷ B　　：アンケートは どこに ありますか。

のりか：受付に あります。

もっと（ ひつようです → ひつようだったら ）、

じむしつに とりに 行って ください。

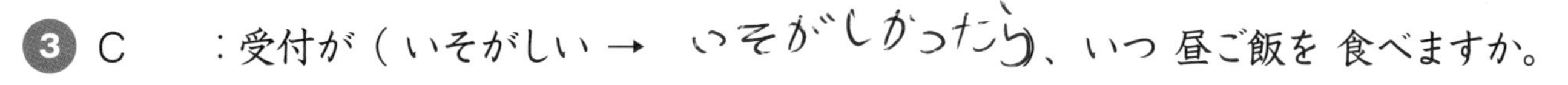

❸ C　　：受付が（ いそがしい → いそがしかったら ）、いつ 昼ご飯を 食べますか。

のりか：昼ご飯は こうたいで* 食べて ください。

受付で 食べちゃ だめですよ。

じむしつで お願いします。

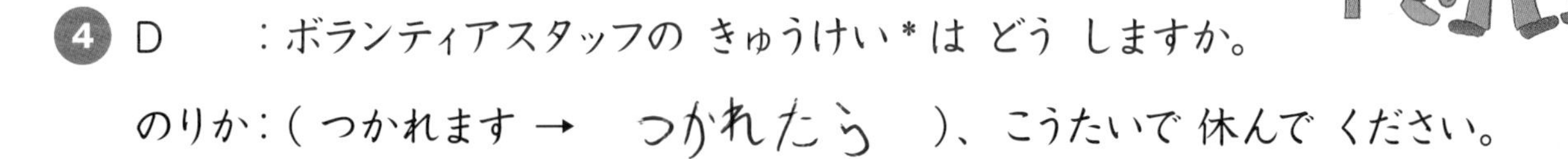

❹ D　　：ボランティアスタッフの きゅうけい* は どう しますか。

のりか：（ つかれます → つかれたら ）、こうたいで 休んで ください。

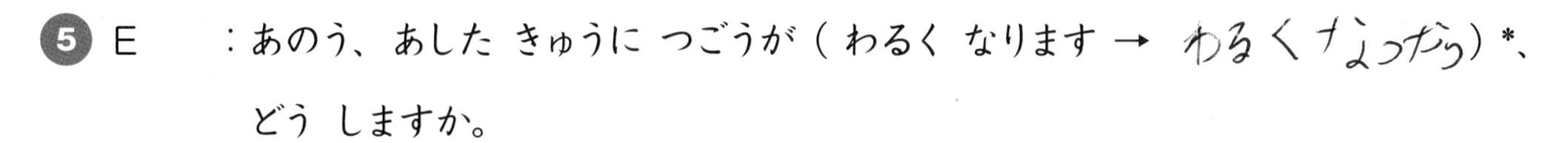

❺ E　　：あのう、あした きゅうに つごうが（ わるく なります → わるくなったら ）*、

どう しますか。

のりか：その ときは すぐに 私の けいたい電話に れんらくして ください。

すぐに、ですよ。

* こうたいで = in turn
* きゅうけい = break time
* つごうが わるい = inconvenient

3　1 の かいわを れんしゅうしましょう。

7

4 どっかい

「日本まつりの ボランティア」 

ボランティアぼしゅうの はりがみを 読みましょう。

日本まつり
Festival do Japão
10月3日～5日

ボランティアスタッフ 募集中(ぼしゅうちゅう)

今年も 日本まつりの きせつに なりました。いっしょに やりましょう！

① ボランティアの 仕事
さつえい・しかい・つうやく・受付（2人ずつ）、かいじょうスタッフ（25人）、
マンガきょうしつの 先生（3人）、日本の おどりが 教えられる 人（10人）

② せつめいかい
10月2日に せつめいかいが あります。（ふじホテル 10:30 ～ 11:30）
せつめいかいに さんかできない 人は かいじょうの 仕事を お願いします。

③ おれい
お昼ご飯…3日間、日本料理の おべんとうが もらえます。
日本まつりの Tシャツ・ぼうし・うちわ…1人 1つずつ もらえます。

④ れんらくさき
しつもんが あったら、電話か メールで れんらくして ください。
藤井のりか（090-2345-67XX、Norika_Fujii@marugoto.com）

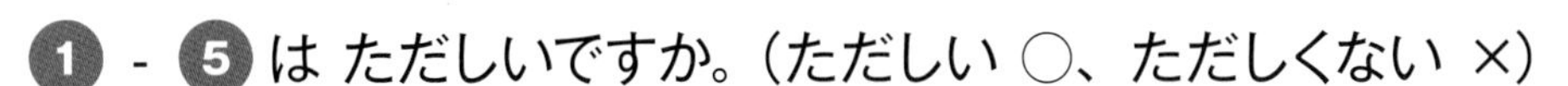

1 - 5 は ただしいですか。（ただしい ○、ただしくない ×）

1. 日本まつりの 前の 日に ホテルで せつめいを 聞きます。　（　）
2. せつめいかいに 行けない 人は できる 仕事が 何も ありません。　（　）
3. 3日間、お昼に 日本料理が 食べられます。　（　）
4. Tシャツ、ぼうし、うちわの 中から 1つ もらえます。　（　）
5. 聞きたい ことが あったら、電話を しても メールで 聞いても いいです。　（　）

❺ さくぶん

「ボランティアの もうしこみ」 

イベントの ボランティアに もうしこむ ために メールを 書きましょう。

件名：日本まつりの ボランティア
ふじいのりかさま はじめまして。私は フリオ・ゴンザレスと 言います。 日本まつりの ボランティアを したいと 思っています。 私は 日本語と 日本文化に とても きょうみが あります。 かんじは あまり 読めませんが、かんたんな 日本語だったら、話せます。 がんばりますので、よろしく お願いします。 フリオ・ゴンザレス

＿＿＿＿＿＿＿＿さま

はじめまして。私は ＿＿＿＿＿＿＿＿と 言います。

＿＿＿＿＿＿＿＿の ボランティアを したいと 思っています。

私は ＿＿＿＿＿＿＿＿に きょうみが あります。

＿＿＿＿＿＿＿＿＿＿＿＿＿＿＿＿

がんばりますので、よろしく お願いします。

＿＿＿＿＿＿＿＿

● 自分で 書いてみましょう。 (→ p167)

7

だい8か　コンサートは もう 始(はじ)まりましたか

勉強する 前に

- イベントの 受付の 人は どんな 仕事を しますか。
  What jobs do the reception desk staff do at an event?
- 受付の 人に どんな ことを 聞きますか。
  What kind of information do you ask for at the reception desk?

1 もじとことば

1 ただしい ことばを えらびましょう。

< 日 本 祭 >

1. [a にちじ]
   10月 3日（金） ～ 5日（日） 10:00～17:00
2. [　　　]
   こくさい広場／JF ホール　　　イベント いろいろ！
3. [　　　]
   大人(おとな)：¥500　子ども（～12 さい）：無料
4. [　　　]
   JF 文化センター（048-321-54XX）

a にちじ
b れんらくさき
c かいじょう
d にゅうじょうりょう

2 ただしい ことばを 作りましょう。

1. イベ＿トプロ＿ラ＿　［ム｜グ｜ン］
2. カラ＿ケコ＿テ＿ト　［ス｜オ｜ン］
3. ＿ラン＿アスタッ＿　［ティ｜フ｜ボ］
4. デモ＿ス＿レー＿ン　［ト｜ショ｜ン］

3 ただしい ことばを えらびましょう。 

1. 日本まつりを 見に 行く 日を（　a　きめます　）。
2. イベントの 時間を 受付で（　e　）。
3. 受付の 人は お客さんに イベントの 時間を（　d　）。
4. Ｊポップコンサートは どこで（　b　）か。
5. うしろの ドアから しずかに（　c　）。

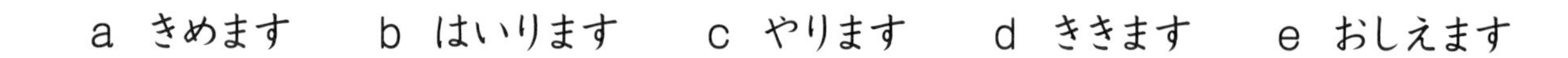
a きめます　b はいります　c やります　d ききます　e おしえます

4 聞いて 書きましょう。 

1. ______________________
2. ______________________
3. ______________________

5 漢字(かんじ)を 読みましょう。 

祭り(まつ)（日本祭(にほんまつり)）　会場(かいじょう)　入場料(にゅうじょうりょう)　参加者(さんかしゃ)
急(いそ)ぎます　決(き)めます　知(し)ります

1. 去年の マンガきょうしつの 参加者は 何人でしたか。知っていますか。
2. 今年の 日本祭の 入場料を 決めましょう。
3. フリオさん、マイクを 会場に 急いで 持っていって ください。

2 かいわとぶんぽう

1 聞きましょう。 141

今日は 日本祭の 日です。

のりか：ボランティアの みなさん、じゅんびは もう 終わりましたか。
　　　　パウロさん、会場の じゅんびは どうですか。
パウロ：すみません。まだ 終わっていません。今、マイクの チェックを しています。
のりか：マイクの チェック中ですか。急いで くださいね。

のりか：ロザナさん、お客さんに あげる ペンは、まだ ありますか。
ロザナ：もう ありません。今、じむしつに とりに 行きます。
のりか：そうですか。今年は 人が 多いですね。

2

もう Vました	まだ V-て いません
Done already（行動完了、変化あり）	Not yet done（行動未完了、変化なし）
じゅんびは もう 終わりましたか。	じゅんびは まだ 終わっていません。

① 聞きましょう。 142-145

もう じゅんびは 終わりましたか。（もう ○、まだ ×）

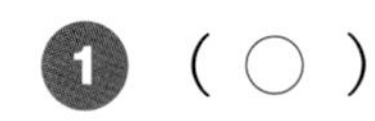

1（ ○ ）
2（ × ）
3（ ○ ）
4（ × ）

② ①を もう いちど 聞いて、ことばを えらんで、ただしい かたちを 書きましょう。

1 会場の じゅんびは（もう・まだ）（ a おわりました ）。

❷ 受付の じゅんびは（ もう ・ まだ ）（ できた ）。

❸ カラオケコンテストの 参加者は（ もう ・ まだ ）（ きました ）。

❹ マンガきょうしつで 使う どうぐは（ もう ・ まだ ）（ もってきません ）。

a おわります　b きます　c もってきます　d できます

3

まだ V1 ます／ V1-て います

Still V1（行動未完了、変化なし）

ペンは まだ ありますか。
／まだ じゅんびを していますか。

もう V1 ません／ V2 ました

No longer V1/already V2（行動完了、変化あり）

ペンは もう ありません。
／ペンは もう 全部 お客さんに あげました。

① 聞きましょう。 147-150

まだ だいじょうぶですか。（まだ ○、もう ×）

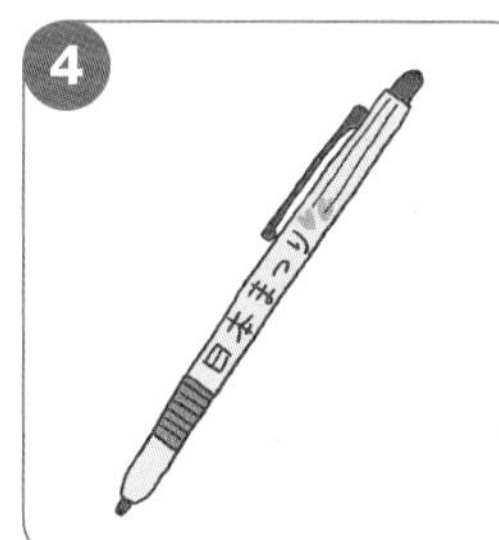

❶（ × ）
❷（ ○ ）
❸（ × ）
❹（ ○ ）

② ① を もう いちど 聞いて、ことばを えらんで、ただしい かたちを 書きましょう。

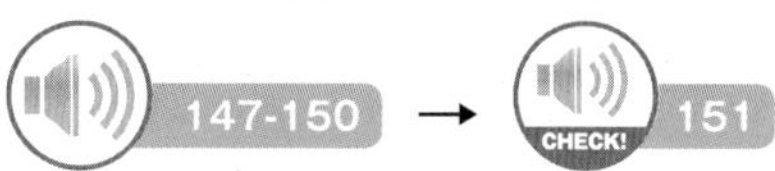

❶ Ｊポップコンサートは（ まだ ・ もう ）（ a おわりました ）。

❷ からてデモンストレーションは（ まだ ・ もう ）（ やりました ）。

❸ マンガきょうしつは（ まだ ・ もう ）（ さんかできません ）。

❹ 日本祭の ペンは（ まだ ・ もう ）（ あります ）。

a おわります　b あります　c さんかできます　d やります

4

1 の かいわを れんしゅうしましょう。

3 かいわとぶんぽう

1 聞きましょう。 152

客１：Ｊポップコンサートが 何時に 始まるか、知っていますか。
客２：ううん、わかりません。受付で 聞いてみましょう。

客２：あの、すみません。Ｊポップコンサートは 何時からですか。
受付：３時からです。
客２：３時からですね。ありがとうございます。

2 S〔いつ／どこ／…（ふつうけい plain form） か〕、しっていますか／わかりますか

Do you know when/where/who/what…? 'しっていますか' is often contracted to 'しってますか' in spoken Japanese.（間接疑問文　話し言葉：しってますか）

コンサートが 何時に 始まるか、知っていますか。

注意：N／ナＡだ ＋ か → どんな マンガか／どこが べんりか しっていますか

① ことばを えらんで、ただしい かたちを 書きましょう。 

1 マンガきょうしつが 何時に（ c おわるか ）、知っていますか。
2 マンガきょうしつで どんな マンガを（ かきるか ）、聞いてみましょう。
3 マンガの どうぐは 何が（ ひつようか ）、わかりますか。
4 どこで カラオケコンテストを（ やるか ）、知っていますか。

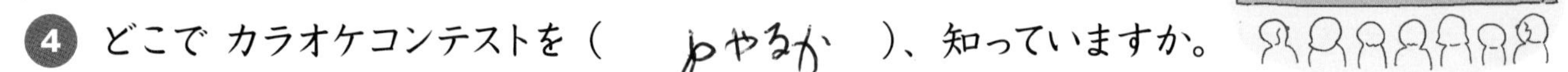

5 カラオケで ゆうしょうしたら* 何が（ もらうか ）、聞いてみましょう。

a かきます	b やります	c おわります	d もらえます	e ひつようです

＊ゆうしょうします＝to win first prize

② ただしい じゅんに ならべましょう。 

❶ A：からてデモンストレーションは 大人気でしたね。

B：そうですね。＿c＿ ＿a＿ ＿b＿、人が 多かったですね。

a 来たか　　b わかりませんが　　c 何人ぐらい

❷ A：今日の カラオケコンテスト、見に 行きましたか。

B：はい。みんな うまいですね。でも、＿b＿ ＿c＿ ＿a＿ むずかしいです。

a 決めるのは　　b どの 人が　　c 一番 よかったか

❸ A：マンガきょうしつ、おもしろかったですか。

B：とても おもしろかったです。＿c＿ ＿b＿ ＿a＿。

a わかりました　　b マンガを かくか　　c どうやって

❹ A：Ｊポップコンサートは よかったですか。

B：はい。今、＿a＿ ＿c＿ ＿b＿ よかったです。

a どんな 歌が　　b わかって　　c 人気が あるか

3 ［1］の かいわを れんしゅうしましょう。

8

4 どっかい

「日本祭の アンケート」 

下の アンケートは 参加した イベントが なにか わかりません。
アンケートの <かんそう>を 読んで こたえましょう。

1

☑ 男性 □ 女性
参加したイベント：
□ たいこきょうしつ □ ぼんおどり
□ カラオケコンテスト ☑ マンガきょうしつ

<かんそう>

見るのは 好きだけど、かくのは 今日が はじめてでした。どうやって かくのか わかったので、うれしかったです。これから いろいろ かいてみたいと 思います。

2

□ 男性 ☑ 女性
参加したイベント：
□ たいこきょうしつ ☑ ぼんおどり
□ カラオケコンテスト □ マンガきょうしつ

<かんそう>

はじめ どうやって おどるか わかりませんでした。時間も 短くて、あまり おどれなかったので、つまらなかったです。来年は ひとばん中 おどりたいです。

3

☑ 男性 □ 女性
参加したイベント：
□ たいこきょうしつ □ ぼんおどり
☑ カラオケコンテスト □ マンガきょうしつ

<かんそう>

いろいろな 歌が 聞けて、よかったです。私は まだ 日本語で 上手に 歌えません。もっと 上手に なったら 歌ってみたいです。こんばんから れんしゅうします。

① 3人は どの イベントに 参加しましたか。

a たいこきょうしつ b ぼんおどり
c カラオケコンテスト d マンガきょうしつ

② 3人の かんそうは どうでしたか。
（よかった ○、よくなかった ×）

	1	2	3
①			
②			

特別な 日

だい9か

お正月は どう していましたか

- 休みは メキシコに 帰っていました。
- 親に 会えて、よかったです。
- 今年は 休みが 3日しか ありませんでした。
- 私の 休みは 3日間だけでした。

だい10か

いい ことが ありますように

- わかい 人が 楽しめるように、いろいろな イベントが あります。
- たなばたの とき、願い事を 書いたり して、楽しみます。
- たなばたの とき、いい ことが あるように 願います。

5

だい9か お正月(しょうがつ)は どう していましたか

勉強する 前に

- あなたの 国で 一番 とくべつな 日は いつですか。
  What is the most special day of the year in your country?
- その とき どんな ことを しますか。どんな じゅんびを しますか。
  What do people do on that special day? What do they do to prepare for it?

1 もじとことば

1 
ただしい ことばを えらびましょう。 

1. 日本では しょうがつの 休みが 一番（ b とくべつ ）です。
2. しょうがつの 前に、おっとと 子どもが そうじを しました。
   私は（ c ）でした。
3. 毎年 同じ 料理を 作るのは（ e ）ので、
   今年は 新しい 料理を 作ります。
4. おしょうがつに 友だちと 出かけるのは（ ~~a~~ d ）です。
   来年も いっしょに 出かけたいです。
5. おしょうがつの 休みは ひまで、（ ~~a~~ a ）でした。

a たいくつ	b とくべつ	c らく	d たのしい	e つまらない

2 ただしい ことばを えらびましょう。 

1. クリスマスに もらった プレゼントを みんなに
   （ a みます　b みえます　ⓒ みせます ）。

2 友だちに 東京を

（ a あそびます　 b あんないします　 c ごろごろします ）。

3 弟と いっしょに 父の 仕事を

（ a できます　 b てつだいます　 c はたらきます ）。

4 しょうがつは 家で 家族と いっしょに

（ a あいます　 b みます　 c すごします ）。

5 休みに 北海道に 行きます。1月３日に 東京に

（ a まちます　 b もどります　 c もらいます ）。

3 聞いて 書きましょう。 160

1 ＿＿＿＿＿＿＿＿＿＿（ございます）

2 ＿＿＿＿＿＿＿＿＿＿（おねがいします）

3 ＿＿＿＿＿＿＿＿＿＿（おむかえください）

4 漢字(かんじ)を 読みましょう。

正月 (しょうがつ)	年末 (ねんまつ)	年始 (ねんし)	親 (おや)	忙しい (いそが)
特別 (とくべつ)	帰国 (きこく)	喜びます (よろこ)		

1 年末年始の ひこうきの チケットは うりきれです。

2 正月は ひさしぶりに 帰国します。親が 喜ぶと 思います。

3 お正月は 特別な 休みです。毎年、じゅんびが 忙しくて たいへんです。

2 かいわとぶんぽう

1 聞きましょう。 162

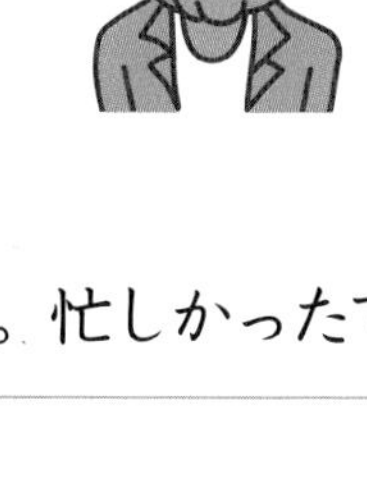

アニス：ホセさん、年末年始の 休みは どう していましたか。
ホセ　：家族と いっしょに ずっと メキシコに 帰っていました。
　　　　きのう、日本に もどりました。
アニス：そうですか。メキシコは どうでしたか。
ホセ　：ひさしぶりに 親や しんせきに 会えて、よかったです。
　　　　アニスさんも 帰国していましたか。
アニス：いいえ。いい アルバイトが あったので、東京で 働いていました。忙しかったです。

2 V-て いました　休みは メキシコに 帰っていました。

Continuing action/Result of an action in the past（過去における動作の継続や動作の結果の状態）

ことばを えらんで、ただしい かたちを 書きましょう。 

年末年始の 休みは どう していましたか。

1. 1月に 大学の しけんが あるので、毎日（ c べんきょうしていました ）。
2. いい アルバイトが あったので、ゆうびんきょくで（ b はたらいていました ）。
3. お正月は 特別な 料理を たくさん 作るので、うちで 母を（ a ）。

a てつだいます　b はたらきます　c べんきょうします

4. 冬休みは ドイツから 友だちが（ f ）ので、東京を あんないしました。
5. ホセさんは 正月休みは ずっと メキシコの 家に（ e ）。
6. やぎさんは 1週間、旅行で インドに（ d ）。

d いきます　e かえります　f きます

3 かのう ③　Potential

V-（られ）て、 V-（られ）なくて、 } ＿＿＿＿	親に 会えて、よかったです。 友だちに 会えなくて、ざんねんでした。

Giving a reason for/cause of one's feeling using a verb in the potential form
（可能形の動詞を使って原因／理由を言う。）→ ① L6, ② L7

<Ｖかのうけい>
あえます：あえて　　あえません：あえない → あえなくて

① ただしい ほうを えらびましょう。

1. 長い 休みは ゆっくり 好きな ことが（ a できて　b できなくて ）、うれしいです。
2. クリスマスコンサートの チケットが うりきれで（ a 買えて　b 買えなくて ）、ざんねんです。
3. お正月は ひさしぶりに 国に（ a 帰れて　b 帰れなくて ）、よかったです。
4. 安い ひこうきの チケットが（ a 買えて　b 買えなくて ）、よかったです。
5. かぜ＊で ニューイヤーパーティーに（ a 行けて　b 行けなくて ）、ざんねんでした。

＊かぜ＝cold, flu

② 聞いて えらびましょう。

３人は お正月に 何を しましたか。

ホセさん
（ 1 a ）
（ 2 d ）

カルメンさん
（ 3 b ）
（ 4 ）

きやまさん
（ 5 e ）
（ 6 c ）

③ ② を もう いちど 聞いて、ことばを えらんで、ただしい かたちを 書きましょう。

ホセさん

❶ 家族と ゆっくり（　c　はなせて　）、ほんとうに よかったです。

❷ 私は ひさしぶりに 母の 料理が（　たべられて　）、よかったです。

カルメンさん

❸ 私は 何も しないで（　すごせて　）、らくでした。

❹ 親に 子どもの かおを（　みせられて）、よかったです。
　親も とても 喜びました。

きやまさん

❺ 大雪で、どこにも（　いけなくて　）、たいくつでした。

❻ 古い 友だちに（　あえなくて　）、ざんねんでした。

a　たべます
b　みせます
c　はなします
d　あいます
e　すごします
f　いきます

4　1 の かいわ（p88）を れんしゅうしましょう。

3 かいわとぶんぽう

1　聞きましょう。

チョウ：お正月の 休みは どう していましたか。
くの　：休みが 短かったので、うちに いました。
チョウ：そうですか。休みは 何日ぐらいでしたか。
くの　：今年は ３日しか ありませんでした。
チョウ：そうですか。３日間だけですか。

170

～日（間）	～（かん）
１日	いちにち
２日（間）	ふつか（かん）
３日（間）	みっか（かん）
４日（間）	よっか（かん）
５日（間）	いつか（かん）
６日（間）	むいか（かん）
７日（間）	なのか（かん）
＝１週間	いっしゅうかん

2

Nしか（Vません）	今年は 休みが３日しか ありませんでした。
Nだけ	私の 休みは ３日間だけでした。

'しか' and 'だけ' emphasize how N is limited regarding quantity, degree, range and/or the object itself. 'しか' is used with a negative form.（Nの限定と強調）

ただしい ほうを えらびましょう。 

1. 去年、私は １日だけ 仕事を（ a 休みました　　b 休みませんでした ）。
2. 私の 会社の 正月休みは、３日しか（ a あります　　b ありません ）。
   もっと 長い 休みが ほしいです。
3. あした お客さんが 来ます。私は 時間がないので、
   いま*と トイレしか（ a そうじします　　b そうじしません ）。　　*いま＝living room
4. クリスマスに プレゼントを １つだけ（ a もらいました　　b もらいませんでした ）。
5. A：お正月の 外国旅行は どうでしたか。
   B：長い ツアーしか（ a あった　　b なかった ）ので、
   　 行きませんでした。
   A：そうですか。私は ２日間だけ ソウルに
   　（ a 行きました　　b 行きませんでした ）。

3　[1]の かいわを れんしゅうしましょう。

ことばと文化

12月31日（おおみそか）に 何と 言いますか。
How do you greet people on New year's Eve?

a あけまして おめでとうございます。　b よい お年を。／よい 年を おむかえください。
c 今年も どうぞ よろしく。　　　　　d そのほか ________________

どっかい

「新年(しんねん)の あいさつ」 

シンさんに 友だちの かわのさんから メールが 来ました。
メールを 読んで こたえましょう。

件名：あけまして おめでとうございます	20XX/01/01

シンさん、あけまして おめでとうございます。
昨年(さくねん)＊は たいへん おせわに なりました。今年も よろしく お願いします。

お正月は どう していますか。
私は 今、福岡(ふくおか)の 親の 家に 帰っています。
今年は 休みが 4 日間しか なかったので、旅行には 行きませんでした。
うちで 年末に、大そうじや 買い物など いろいろ てつだいました。
ひさしぶりに りょうしんと すごせて、よかったです。
あした、東京に もどります。
また 会社で 会いましょう。

かわの

＊昨年（さくねん）＝ last year

1 - 5 は ただしいですか。（ただしい ○、ただしくない ×）

1. シンさんは 今、福岡(ふくおか)に います。 ()
2. かわのさんの お母さんと お父さんは 福岡(ふくおか)に 住んでいます。 ()
3. かわのさんは 福岡(ふくおか)で 何も しませんでした。 (×)
4. 休みが 短かったので、かわのさんは 旅行しませんでした。 (○)
5. かわのさんは 東京で 働いています。 ()

5 さくぶん

「きせつの あいさつ」 

日本人の 友だちに 年に いちどの あいさつの カードを 書いて だしましょう。

Season's Greetings

まおさん
今年は どんな 年でしたか。
私は 仕事が とても 忙しかったです。
でも、夏は スペインに 旅行に 行って、とても 楽しかったです。
来年は、日本に 行きたいです。
どうぞ よい 年を おむかえください。

ナターリヤ

＿＿＿＿＿＿＿＿さん
今年は どんな 年でしたか。
私は ＿＿＿＿＿＿＿＿＿＿＿＿＿＿＿＿
＿＿＿＿＿＿＿＿＿＿＿＿＿＿＿＿＿＿＿
来年は、＿＿＿＿＿＿＿＿＿＿＿＿＿＿＿
どうぞ よい 年を おむかえください。
＿＿＿＿＿＿＿＿

● 自分で 書いてみましょう。（→ p167）

だい10か いい ことが ありますように

勉強する 前に

- あなたの 国には、毎年 する ぎょうじや むかしからの ぎょうじが ありますか。
  Are there any annual events or traditional events in your country?
- その ぎょうじの とき、どんな ことを しますか。
  What do people do for that event?

1 もじとことば

1 ただしい ことばを 作りましょう。意味を えらんで（　　）に 書きましょう。

1 （ a ） し あ わ せ　［わ］［せ］［あ］
2 （　　） ＿ ＿ ちょ ＿　［う］［い］［せ］
3 （ b ） け ん こ う　［こ］［け］［ん］
4 （　　） ＿ が ＿ ＿　［い］［き］［な］
5 （　　） ご う か く　［く］［か］［う］

a happiness　b good health　c long life
d passing an exam　e growth (of a child)

2 かんけいが ある ことばを えらびましょう。

1 （ b ）を します。
2 （ e ）に であいます。
3 （ d ）が おこります。
4 （ c ）が うまく いきます。
5 （ a ）が よく なります。

a びょうき
b けが
c しごと
d じしん
e すてきな ひと

3 ただしい ことばを えらびましょう。 CHECK! 174

1. みんなで 友だちの 誕生日を（ a いわいます ）。
2. 七五三(しちごさん)の とき、じんじゃで 子どもの しあわせを

   （ b ）／（ c ）。
3. 弟が にゅうがくしけんに ごうかくしたので、かぞくで（ a ）。
4. たなばたの とき、自分の ゆめを 書いて、ほしに（ c ）。

a いわいます　　b いのります　　c ねがいます

4 聞いて 書きましょう。 175

1. ________________
2. ________________
3. ________________

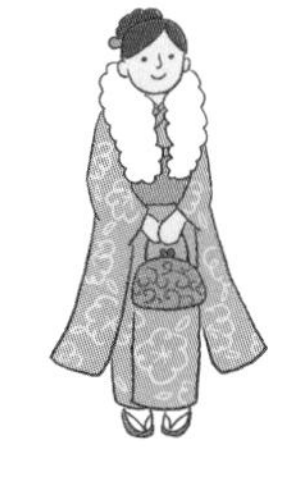

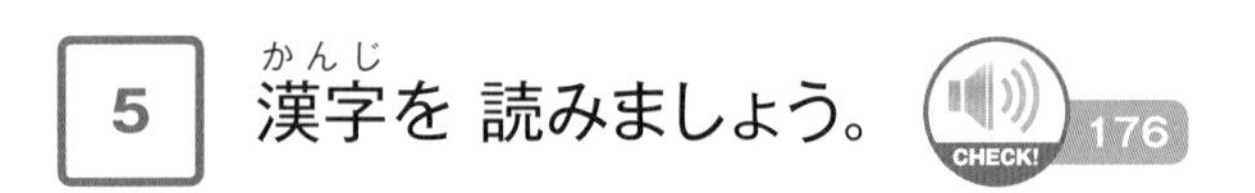

5 漢字(かんじ)を 読みましょう。 CHECK! 176

幸せ	成長	長生き	願い事	合格	試験
しあわ	せいちょう	ながい	ねが　ごと	ごうかく	しけん

大人	～式（成人式）	～市（さいたま市）
おとな	しき　せいじんしき	し　し

1. 11月15日は、子どもの 成長と 幸せを 願って、七五三(しちごさん)を します。
2. たなばたの とき、私は いろいろな 願い事を 書きました。

   「大学の にゅうがく試験に 合格したいです。」「おばあちゃん、長生きして ください。」
3. 私が 住んでいる 市は、大人に なる 人の ために、毎年、成人式(せいじんしき)を します。

2 かいわとぶんぽう

1 聞きましょう。 
177

サビタ：くのさん、成人（せいじん）の日って、何ですか。
くの　：成人（せいじん）は 大人と いう 意味です。
　　　　日本では 20 さいから 大人です。
　　　　だから、成人（せいじん）の日は 20 さいの 人の ために お祝いを するんですよ。
サビタ：どんな ことを しますか。
くの　：市や 町が、成人式（せいじんしき）を したり します。
　　　　わかい 人が 楽しめるように、いろいろな イベントも ありますよ。
サビタ：そうですか。おもしろいですね。

2 S1 （V ふつうけい plain form） ように、 S2

S: Sentence　S2 is conducted in order that the state or event in S1 may be realized.
（S1 は目標・目的。S2 はその手段・方法。）

わかい人が 楽しめるように、いろいろな イベントが あります。
パーティーの 時間に おくれないように、はやく 行きましょう。

ただしい ものを えらびましょう。 
CHECK! 178

1. 成人式の お祝いに、わかい 人が 楽しめるように、（ a ）。
2. たくさんの 人が 入るように、会場は（ c ）。
3. パーティーについて わすれないように、（ b ）。
4. みんなが 来られるように、（ d ）。

a パーティーを します	b お知らせを だします
c とても 広い 場所です	d 参加は 無料です

3 聞きましょう。

① 4人の わかい 人は
どんな ゆめを 持っていますか。

a 結婚したい
b 外国に 行きたい
c いけばなを 教えたい
d けんこうに なりたい

❶（ b ） ❷（ c ） ❸（　　） ❹（　　）

② ① を もう いちど 聞いて、ことばを えらんで、ただしい かたちを 書きましょう。

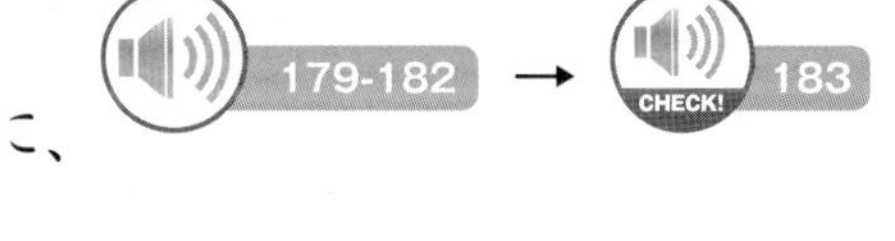

❶ 私は 外国に 行って（ c こまらない ）ように、
英語を ならっています。

❷ 私は いけばなの 先生に はやく（　　　　　）ように、
毎日 れんしゅうしています。

❸ 私は びょうきに（ d ）ように、
食事に 気を つけています。

❹ 私は すてきな 人と（ a ）ように、
毎週 パーティーに 参加しています。

a であえます　　b なれます　　c こまりません　　d なりません

4 1 の かいわを れんしゅうしましょう。

あなたの 国では 成人を 祝う 特別な 日が ありますか。
その 日に どんな ことを しますか。

❸ かいわとぶんぽう

1 聞きましょう。 184

エド：これは 特別な かざりですか。
まり：はい。これは たんざくと 言います。たなばたの とき、
　　自分の ゆめや 願い事を 書いたり して、楽しみます。
　　いい ことが あるように 願うんですよ。
エド：へえ。まりさんの 願い事は 何ですか。
まり：ひみつです。
エド：そうですか。じゃあ、私も 何か 書いてみます。
　　日本語の 試験に 合格できますように。

2 V-たり して、＿＿＿＿＿

たなばたの とき、願い事を 書いたり して、楽しみます。
'たり' is used for giving examples of actions.（行為の例示）

ことばを えらんで、ただしい かたちを 書きましょう。  CHECK! 185

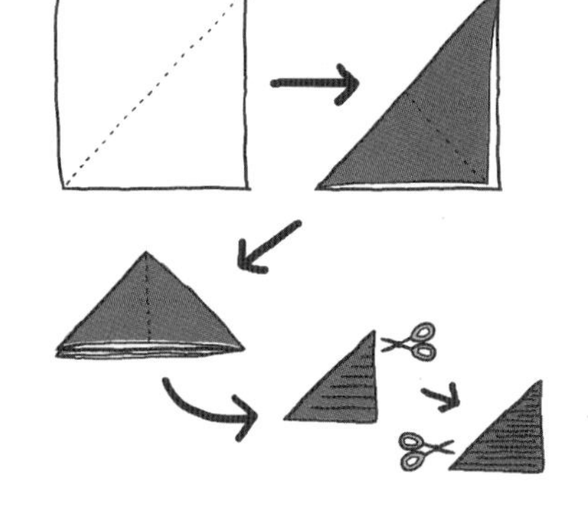

A：たなばたの とき、子どもたちは どんな ことを しますか。
B：子どもたちは、かみを（❶ c おったり ）、
　（❷ b ）して、きれいな かざりを 作ります。
　それから、たなばたの 歌を（❸ うったり ）して、
　楽しみます。
A：子どもたちは 願い事を（❹ d ）しますか。
B：はい、書きます。たなばたは とても 楽しいですよ。

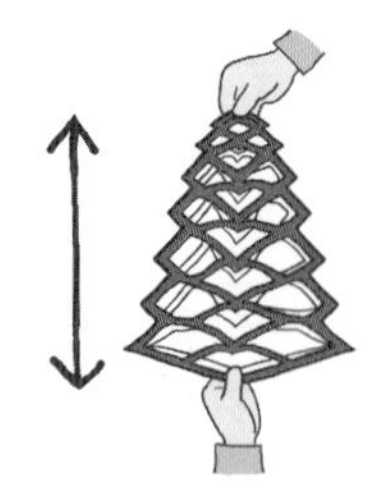

a うたいます	b きります	c おります	d かきます

3　S（V ふつうけい plain form）ようにねがいます／いのります

S: sentence
S expresses what one wants from a prayer or wish. I pray/wish that (S).
The polite form ' ますように ' is used when you write a wish.（祈願）

たなばたの とき、いい ことが あるように 願います。
わるい ことが おこらないように かみさまに いのりました。

ことばを えらんで、ただしい かたちを 書きましょう。 CHECK! 186

特別な 日に どんな ことを いのりましたか。

1. 結婚式の 日に、私は むすめが 幸せに（　a　なるように　）いのりました。
2. 誕生日に 私は 長生きして、もう いちど ふるさと*に（かえるように　）いのりました。
   *ふるさと = home country, hometown
3. 3月11日に 日本中で、大きい じしんが もう（おこらない ように）いのりました。

今、どんな 願い事が ありますか。

4. 私は 友だちの びょうきが はやく（よくなるように）願っています。
5. たなかさんは 仕事が（うまく いるように）願っています。
6. カルメンさんは 子どもたちが 学校で けがを（　e　）願っています。

a　なります	b　よく なります	c　うまく いきます
d　かえれます	e　しません	f　おこりません

4　1 の かいわを れんしゅうしましょう。

あなたの ゆめや 願い事は 何ですか。

10

4 どっかい

えま

「私の 願い事」 

日本では じんじゃや おてらで いろいろな 願い事を します。
1、2 の 人の 願い事は どれですか。

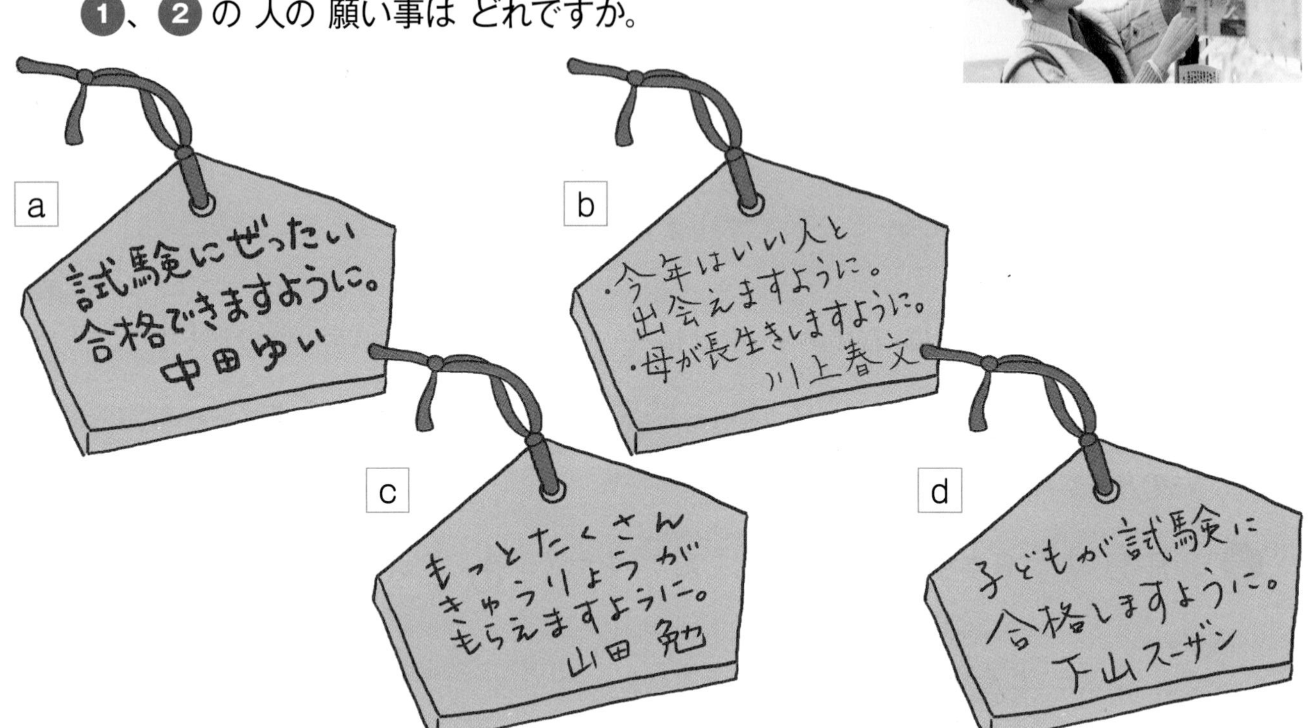

a
試験にぜったい
合格できますように。
中田ゆい
b
・今年はいい人と
出会えますように。
・母が長生きしますように。
川上春文
c
もっとたくさん
きゅうりょうが
もらえますように。
山田勉
d
子どもが試験に
合格しますように。
下山スーザン

1 19さい 女子(じょし)　(a)

私は、今年の 2月、大学の 入学(にゅうがく)試験を うけます。去年も うけましたから、2回目です。去年は 試験に おちましたが、今年は ぜったい 大学生に なりたいです。もう 試験勉強は したくないです。毎日 ひっしで 勉強しています。かみさま、ほとけさま、どうぞ どうぞ よろしく お願いします！

2 33さい 会社員(いん)　(c)

私は 小さい 会社で 働いています。毎日 毎日 朝から ばんまで 仕事をしています。でも、まだ きゅうりょうが 安いです。今年、秋に 結婚したいのですが、今の きゅうりょうは 安すぎて、かのじょに プロポーズできません。もっと たくさん きゅうりょうが ほしいです。

テストとふりかえり 1（トピック 1-5） Test and Reflection 1 (Topics 1-5)

この 時間 では、つぎの 4つの ことを します。 In Test and Reflection 1 you will do these four things.

<れい：120 分の ばあい> Example: with a class length of 120 minutes

50 分 (50 minutes)	10 分 (10 minutes)	20 分 (20 minutes)	20 分 (20 minutes)	20 分 (20 minutes)
1 テスト Test	休み break	2 テストの せつめい Test explanation	3 テストの ふりかえり Test reflection	4 さくぶんの はっぴょう Discuss your compositions

1 テストの 問題れい Test example questions

1 聞いて ひらがなか カタカナで 書いて ください。
Listen and write in hiragana or katakana.

❶ ______________________________

❷ ______________________________

> スクリプト
> ❶ めがねを かけます
> ❷ しょくじの マナー

2 かいわを 聞いて、ただしい ものを えらんで ください。
Listen to the conversation and choose the correct answer.

❶ 男の人は お正月に 何を していましたか。
（ a 仕事していました　 b 帰国していました ）

❷ 男の人の お正月の 休みは どうでしたか。
（ a よかったです　 b あまり よくなかったです ）

> スクリプト
> A（女）：ヤンさん、お正月の 休みは どうしていましたか。
> B（男）：ずっと マレーシアに 帰っていました。
> A（女）：そうですか。どうでしたか。
> B（男）：ひさしぶりに 家族や 友だちに 会えて、楽しかったです。
> A（女）：そうですか。よかったですね。

3 漢字(かんじ)の 読みかたを ひらがなで 書いて ください。
Write the kanji reading in hiragana.

❶ 姉は 大学で 働いています。（　　　　　）

❷ きのう 有名な レストランに 行きました。（　　　　　）

4 ことばを えらんで、ただしい かたちを 書いて ください。
Choose the correct word, change its form and write it in the brackets.

❶ A：これ、おいしそうですね。もう 食べても いいですか。
B：あ、まだですよ。料理が 全部（　　　　　）から 食べましょう。

❷ A：あしたの ぼんおどり、午後４時に ひろばに 集まって ください。
B：雨が（　　　　　）どうしますか。
A：ホールに 行って ください。

❸ A：沖縄(おきなわ)の 文化が 知りたいんですが。
B：それなら、この ツアーが いいです。沖縄(おきなわ)の おどりが（　　　　　）よ。

> a みます
> b きます
> c ふります

5 （　　）に ただしい ことばを 書いて ください。 Write the correct word in the brackets.

❶ A：ご注文、おきまりですか。　B：コーヒーと こうちゃ、１つ（　　　）お願いします。

❷ 高い チケット（　　　）なかったので、国に 帰りませんでした。

❸ 私の 会社は １月１日と ２日（　　　）休みです。

a ずつ　b だけ　c しか

6 ただしい ぶんを つくって ください。
Make correct sentences.

❶ A：カラオケコンテストが ＿＿＿＿ ＿＿＿＿ ＿＿＿＿。
B：うーん、わかりません。受付で 聞いてみましょう。

a 知っていますか
b 始まるか　c 何時に

❷ たなばたの とき、＿＿＿＿ ＿＿＿＿ ＿＿＿＿ ＿＿＿＿。

a 合格するように
b 試験に
c 願いました　d 大学の

7 しつもんを 読んで ください。どの アドバイスが いいですか。えらんで ください。（　　）
Read the question below and choose the best advice.

友だちと 沖縄（おきなわ）に 行きます。めずらしい 魚が 好きなので、ダイビングが したいんですが、いつが いいですか。教えて ください。

a ダイビングの どうぐは 借りた ほうが いいですよ。買うと 高いですから。

b はい、沖縄（おきなわ）は いいですよ。海も きれいだし、人も しんせつですから。

c ７月が いいですよ。でも旅行の シーズンですから はやく 予約した ほうが いいです。

2 テストの せつめい　Test explanation

テストの こたえを チェックしましょう。しつもんが あったら、先生に 聞きましょう。
Check the answers to the test. Ask the teacher if you have any questions.

3 テストの ふりかえり　Test reflection

まちがえた もんだいを もう いちど 見てみましょう。
Look again at the questions you got wrong.

4 さくぶんの はっぴょう　Discuss your compositions (sakubun)

だい１か、３か、５か、７か、９かの さくぶんについて グループで 話しましょう。
Speak in groups about your compositions from lessons 1, 3, 5, 7 and 9.

友だちの さくぶんを 読んで、いろいろ しつもんしましょう。
Read your classmates' compositions and try to ask a lot of different questions.

じぶんの さくぶんの 日本語について 先生に しつもんしましょう。
Ask your teacher questions about the Japanese in your compositions.

問題れいの こたえ　Answers to test example questions

1 ❶ めがねを かけます ❷ しょくじの マナー　2 ❶ b ❷ a
3 ❶ はたらいて ❷ ゆうめいな　4 ❶ b きて ❷ c ふったら ❸ a みられます
5 ❶ a ❷ c ❸ b　6 ❶ c b a ❷ d b a c　7 c

ネットショッピング

だい11か

そうじ機（き）が　こわれて　しまったんです

- せんぷう機が　動かなく　なりました。
- せんぷう機が　動かなく　なって　しまいました。
- ネットショッピングは　時間を　気に　しないで　買い物できます。
- 電子レンジが　とどくまで、１週間　かかりました。

だい12か

こっちの　方（ほう）が　安いです

- この　アイロンは　使いやすいです。
- Ａモデルと　Ｂモデル、どちらが　安いですか。… Ｂの　方が　安いです。

6

だい11か　そうじ機(き)が　こわれて　しまったんです

勉強する 前に

- あなたは どんな とき、電気せいひんを 買いかえますか。
  When do you decide to replace an electrical appliance?
- あなたは インターネットで 電気せいひんを 買いますか。
  Do you buy electrical appliances online?

1　もじとことば

1　日本語で 何ですか。

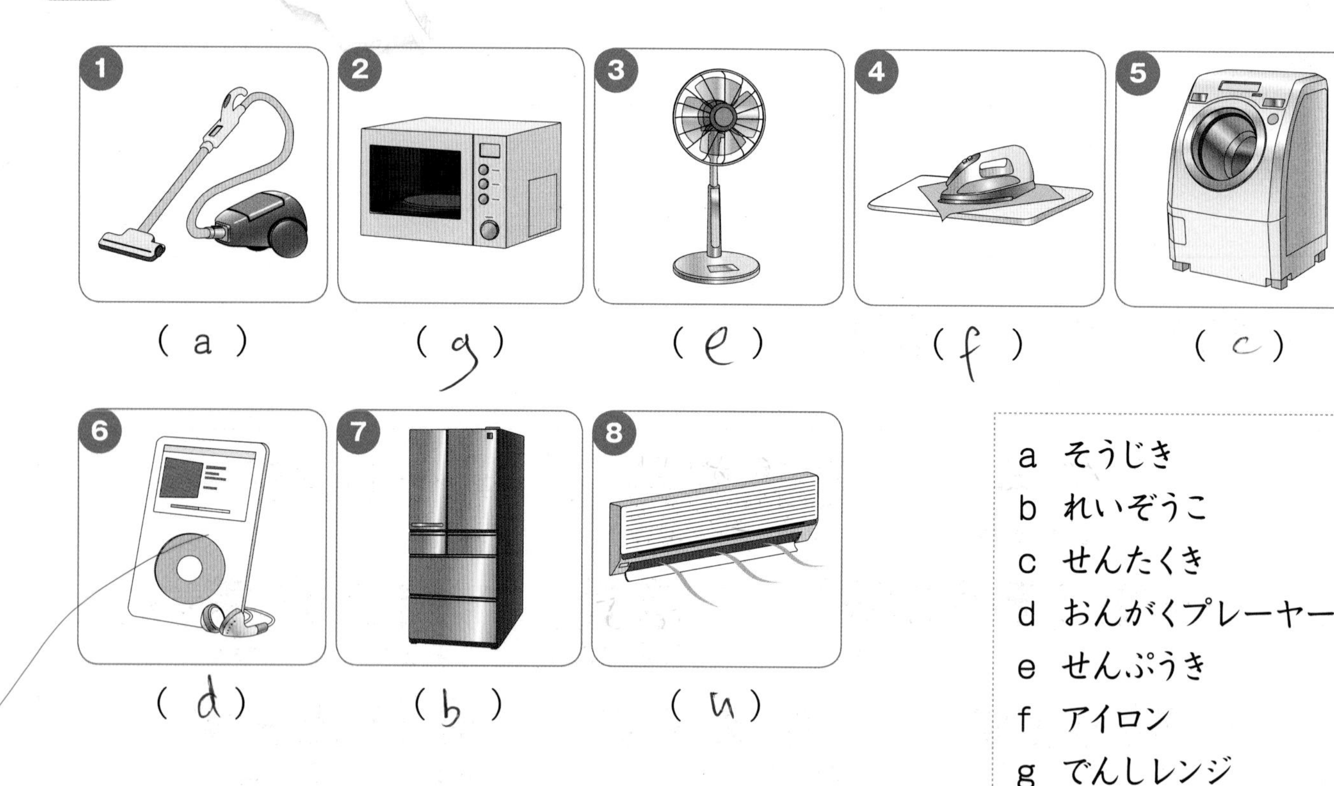

1 (a)　2 (g)　3 (e)　4 (f)　5 (c)

6 (d)　7 (b)　8 (h)

a　そうじき
b　れいぞうこ
c　せんたくき
d　おんがくプレーヤー
e　せんぷうき
f　アイロン
g　でんしレンジ
h　エアコン

2　かんけいが ある ことばを えらびましょう。（1 a - h）

1. へやを かいてきに します　(a) (h) (e)
2. ふくを きれいに します　(c) (f)
3. 料理を する とき 使います　(b) (g)

3 日本語で 何ですか。

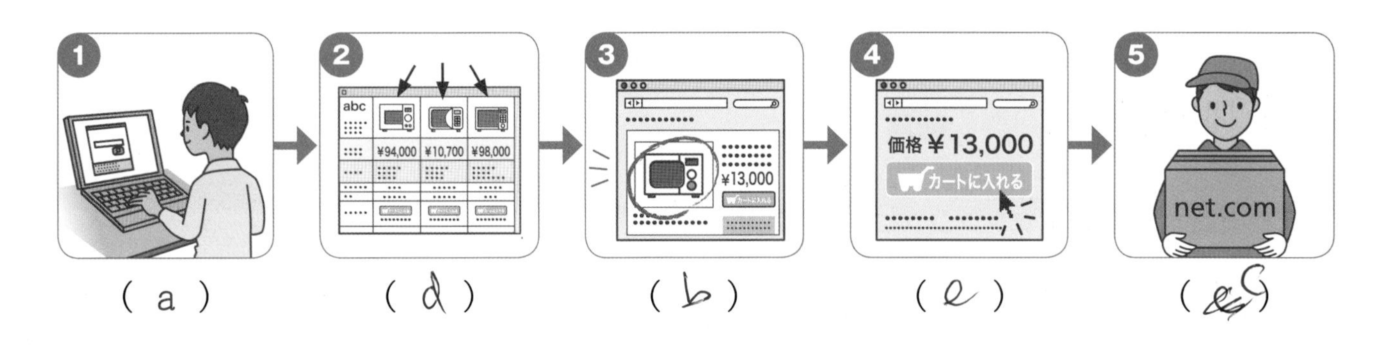

1 (a) 2 (　) 3 (　) 4 (　) 5 (　)

a さがします　b きめます　c とどきます　d くらべます　e ちゅうもんします

4 聞いて 書きましょう。 189

1 ______________________________

2 ______________________________

3 ______________________________

5 漢字（かんじ）を 読みましょう。 CHECK! 190

商品（しょうひん）	電気製品（でんきせいひん）	電子（でんし）レンジ
～機（き）（そうじ機（き））	店員（てんいん）	調子（ちょうし）が 悪（わる）い
動（うご）きます	考（かんが）えます	音（おと）が 出（で）ます

1 うちの 電気製品は 調子が 悪いです。

2 電子レンジと そうじ機が 動きません。音楽プレーヤーの 音が 出ません。

3 店員に 商品について いろいろ 聞いて、ねだんを 考えて 買います。

❷ かいわとぶんぽう

1 聞きましょう。 

ホセさんが ネットショッピングの サイトを 見ています。

さとう：ホセさん、インターネットで 何か 買うんですか。
ホセ　：はい。せんぷう機を さがしています。
　　　　今、使っているのが 動かなく なって しまったんです。
さとう：それは こまりましたね。

2 へんか ① Change

V- なく なりました

せんぷう機が 動かなく なりました。
Change in the condition of something.（状態の変化）
→ ② L16, ③ L18, ④ L18

① ただしい かたちを 書きましょう。

グループ	V- る	V- ない	V- なく＋なりました
	うごく	うごかない	うごかなく なりました
1	（ふたが）あく	❶ あかない	❷ あかなく なりました
	（電気が）つく	❸ つかない	❹ つかなく なりました
2	（音が）でる	❺ でらない	❻ でらなく なりました

② イラストを 見て、ことばを えらんで、ただしい かたちを 書きましょう。 

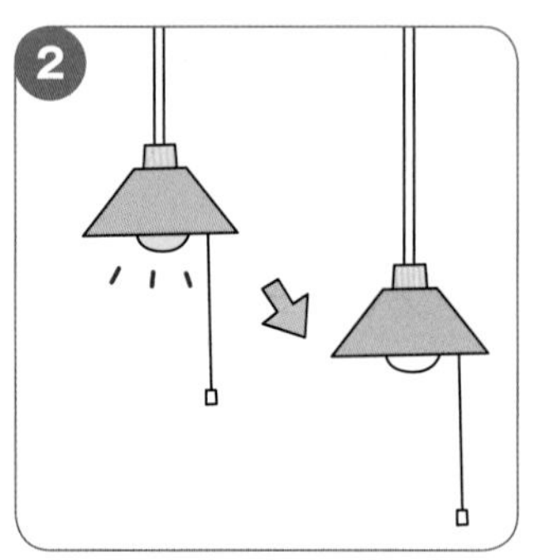

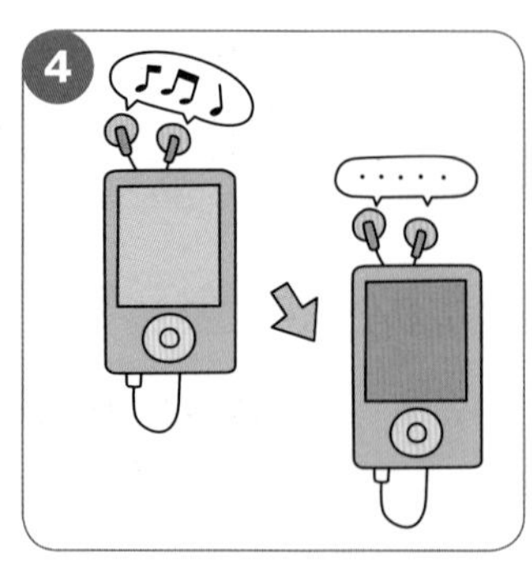

1 せんぷう機が（ a うごかなく なりました ）。
2 電気が（ つかなく なりました ）。
3 せんたく機の ふたが（ あかなくなりました ）。
4 音楽プレーヤーの 音が（ でらなくなりました ）。

a うごきません
b でません
c あきません
d つきません

3 V-て しまいました　せんぷう機が 動かなく なって しまいました。

Stating feelings such as regret or disappointment caused by completed actions or conditions that are against the speaker's will.（動作の完了と残念な気持ちを表す。）

ことばを えらんで、ただしい かたちを 書きましょう。

何か 買うんですか。

1 そうじ機が（ e こわれて しまった ）ので、新しいのを さがしています。
2 電子レンジを さがしています。
今、使っているのは 調子が（ わるくなってしまった ）。
3 せんたく機を さがしています。
うちの せんたく機が（ ~~こわれてしまって~~ ~~うごかす~~ ）んです。
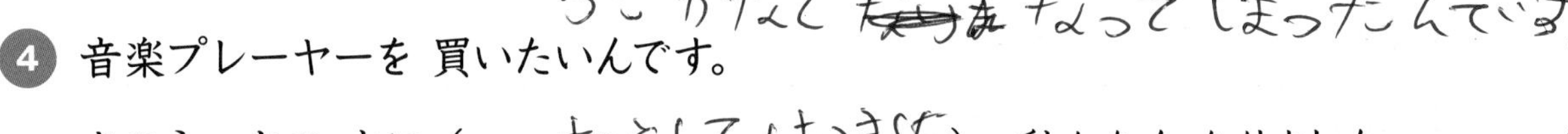
うごかなく ~~なります~~ なって しまったんです。
4 音楽プレーヤーを 買いたいんです。
きのう、水の 中に（ おとしてしまいました ）、動かなく なりました。
5 CDプレーヤーを 買います。
３年前に 買ったのが、きゅうに 音が（ でなくなってしまいました ）。

a でなく なります　b わるく なります　c うごかなく なります
d おとします　e こわれます

4 1 の かいわを れんしゅうしましょう。

❸ かいわとぶんぽう

1 聞きましょう。 194

ホセ　：さとうさんは ネットショッピングを よく しますか。
さとう：ときどき します。時間を 気に しないで 買い物できますから。
ホセ　：私は 店で 見ないで 買うのは ちょっと しんぱいです。
さとう：そうですね。私も 大きい ものは 店に 行きますよ。

さとう：先月、私、インターネットで 電子レンジを 買いましたよ。
ホセ　：そうですか。とどくまで どのぐらい かかりましたか。
さとう：１週間 かかりました。

2 V1- ないで V2

ネットショッピングは 時間を 気に しないで 買い物できます。

Indicating the condition when the action V2 is taken; Do V2 without doing V1.
（V1 は V2 の付帯状況）→ L4

① 聞きましょう。

４人は ネットショッピングを よく しますか。（はい ○、いいえ ×）

❶ Aさん（ ○ ）　❷ Bさん（　）　❸ Cさん（　）　❹ Dさん（　）

② ①を もう いちど 聞いて、ただしい ほうを えらびましょう。

４人が ネットショッピングを する／しない りゆうは 何ですか。

❶ Aさん：店に（ a 行って　b 行かないで ）買い物できるので、便利です。

❷ Bさん：店で よく（ a 見て　b 見ないで ）買うのが 楽しいです。

❸ Cさん：インターネットで ねだんや 使い方や ユーザーコメントを 見て、
よく（ a 考えて　b 考えないで ）買えるので、いいです。

❹ Dさん：クレジットカードで（ a 買う　b 買わない ）のが しんぱいです。

③ ことばを えらんで、ただしい かたちを 書きましょう。 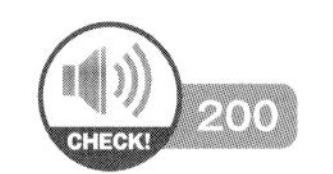

❶ 店員の 話を（　c　きかないで　）買うのは しんぱいです。

❷ 店で（ みないで ⓐ ）買うのは しんぱいです。

❸ 毎日 忙しいので、時間を（ きに しないで）

買い物できるのは 便利です。

❹ 店に 行ったり、店員と 話したり するのは めんどうです。

店に（ いかないで ）買い物できるのは らくです。

a　みます
b　いきます
c　ききます
d　きに します

3　V1- る まで、V2

電子レンジが とどくまで、1 週間 かかりました。
V2 until V1. → L17

（　　）に ただしい かたちを 書きましょう。

そして ただしい ものを えらびましょう。(a - d) 

❶ インターネットで 買った アイロンが（ とどきます →　　とどく　　）まで、（ a ）。

❷ 買う れいぞうこを（ きめます → きめる　　）まで、（ d ）。

❸ この そうじ機は とても 高いので、（ こわれます → こわれる　）まで、（ b ）。

❹ エアコンを（ かいます → かう　　）まで、（ d ）。

a　がまんして 古いのを 使いました　　b　使います
c　夏 暑くて、ねられませんでした　　d　インターネットで 2 時間 さがしました

4　1 の かいわを 3 人で れんしゅうしましょう。

あなたは ネットショッピングを よく しますか。どうしてですか。

よく します。　ときどき します。　ぜんぜん しません。　したこと、ありません。

❹ どっかい

「ネットショッピングの アンケート」 

アンケートの けっかを 読んで こたえましょう。

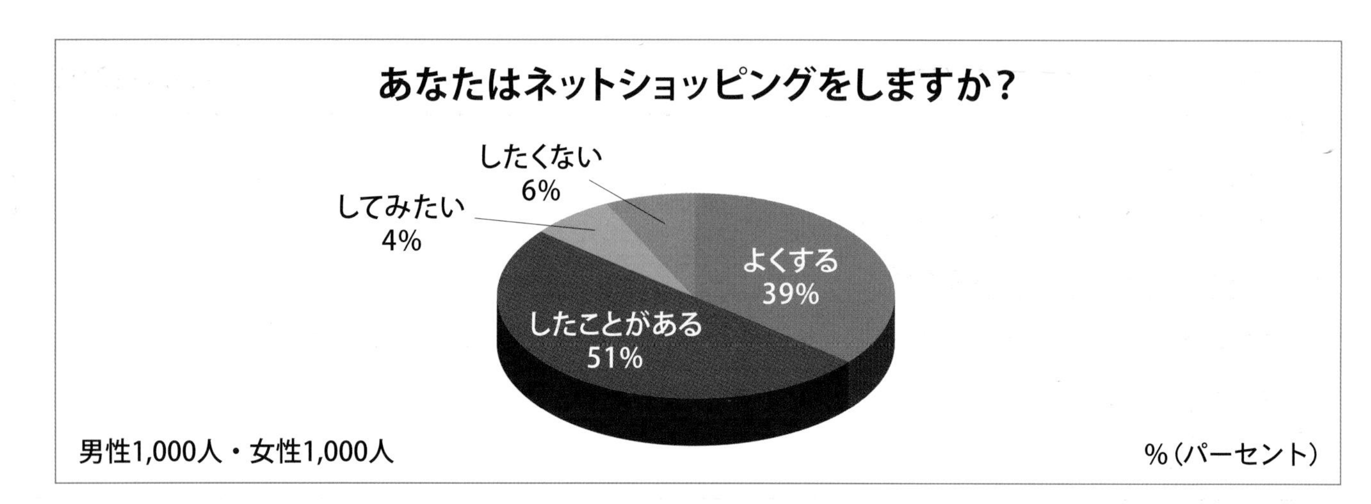

ちょうさの けっか、ネットショッピングを よく する 人が 39%、したことが ある 人が 51%で、ぜんたいの 90%の 人が ネットショッピングの けいけんが ある ことが わかりました。

よく する りゆうは、「安い」が 64.5%、「店に 行かないで 買える」が 52.7%、「商品を くらべられる」が 49.9%、「時間を 気に しないで 買い物できる」が 41.9%と いう けっかでした。

したくない りゆうは、「商品を 見ないで 買うのは しんぱい」が 63.1%、「クレジットカードを 使いたくない」が 46.4%、「ほんとうに とどくか しんぱい」が 40.9%などでした。

（　　）に ことばや すうじを 書きましょう。

❶ （ 90 ）％の 人が ネットショッピングの けいけんが あります。

❷ したくない 人は（ 10 ）％しか いません。

❸ 「ネットショッピングを よく する」りゆうの 中で 一番 多いのは、
「（ ~~あ~~ やすい ）」です。

❹ 「ネットショッピングを したくない」りゆうの 中で 一番 多いのは、
「（ しょうひん を みないでかうのは しんぱい ）」です。

5 さくぶん

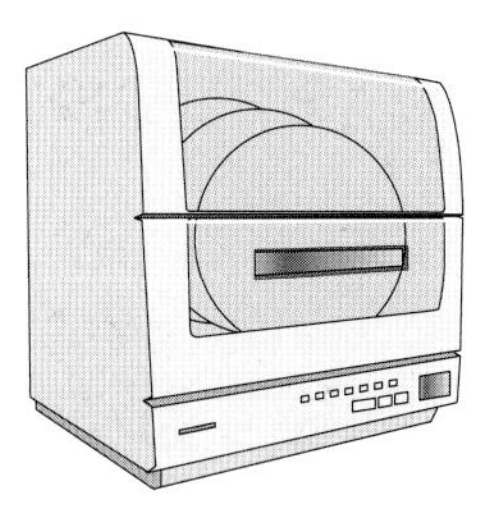

「電気製品についての しつもん」 

あなたが 買いたい 電気製品を 持っている 友だちに しつもんしましょう。

件名：教えて ください（しょくせん機）	20XX/10/15
ゆうこさん こんにちは。ちょっと 教えて ください。 うちの しょくせん機が こわれて しまいました。 新しいのを 買いたいんですが、ゆうこさんが 使っているのは どうですか。 きれいに あらえますか。 カルメン	

＿＿＿＿＿＿＿＿さん
こんにちは。ちょっと 教えて ください。
＿＿＿＿＿＿＿＿＿＿＿＿＿＿＿＿
新しいのを 買いたいんですが、
＿＿＿＿＿＿＿＿さんが 使っているのは どうですか。
＿＿＿＿＿＿＿＿＿＿＿＿＿＿＿＿
＿＿＿＿＿＿＿＿

● 自分で 書いてみましょう。 （→ p167）

だい 12 か こっちの 方(ほう)が 安いです

勉強する 前に

- 新しい 電気製品を 買う とき、だれかに そうだんしますか。
  When you buy a new electrical appliance, do you ask someone for their recommendation?
- 新しい 電気製品を 買う とき、だいじな ことは 何ですか。
  What do you consider important when buying a new electrical appliance?

1 もじとことば

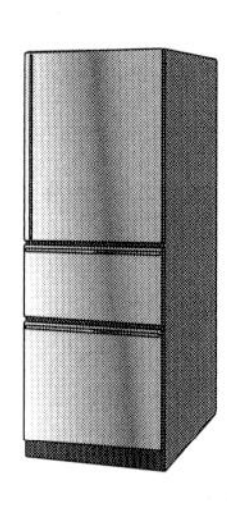

注文の 翌日、とどきます。
送料無料

1 ① 日本語で 何ですか。

日本製 JF社 れいぞうこ Aモデルの 特徴(とくちょう)	
❶（ a ）	白、黒、グレー
❷（ d ）	470ℓ、685 × 693 × 1,818 mm
❸（ e ）	95 kg
消費電力(しょうひでんりょく)	200 Kwh／年　省エネ No.1
❹（ c ）	220,000 円（税込）
❺（ b ）	

野菜が しんせんです

おいしい こおりが 作れます

とりだすのが かんたんです

a カラー　b きのう　c ねだん　d サイズ　e おもさ

② 下の ❶ - ❺ は [1] の 中に あります。意味は 何ですか。

❶ 税込（ぜいこみ） （ a ）　❷ 翌日（よくじつ） （ d ）　❸ 送料（そうりょう） （ c ）
❹ 省（しょう）エネ （ b ）　❺ 日本製（にほんせい） （ e ）

a ねだんに 税金（ぜいきん）(tax) が 入っている こと
b 使う エネルギー（電力（でんりょく）など）が 少ない こと
c 商品を 送る 料金　d つぎの 日　e 日本で 作った 製品

2 はんたいの 意味の ことばを えらびましょう。

❶ おもい ⟷ （ c かるい ）　❷ 広い ⟷ （ a ）
❸ しずか ⟷ （ e ）　❹ きのうが 多い ⟷ きのうが （ b ）
❺ 使い方が かんたん ⟷ 使い方が （ d ）

a せまい　b すくない
c かるい　d ふくざつ
e うるさい

3 聞いて 書きましょう。 

❶ ＿＿＿＿＿＿＿＿＿＿
❷ ＿＿＿＿＿＿＿＿＿＿
❸ ＿＿＿＿＿＿＿＿＿＿

4 漢字（かんじ）を 読みましょう。 CHECK! 204

機能 きのう	省エネ しょう	日本製 にほんせい	重い おも	軽い かる
静か しず	早く はや	こっちの方 ほう	洗います あら	満足します まんぞく

❶ そっちの アイロンは 重いです。こっちのは 軽いです。こっちの方が いいですよ。

❷ 日本製の せんたく機は、洗う とき 音が 静かだし、機能も いろいろ あります。

❸ インターネットで 買った れいぞうこは 早く とどきました。省エネで、満足しています。

12

2 かいわとぶんぽう

1 聞きましょう。 205

ヤンさんが ネットショッピングの サイトを 見ています。

ヤン　：かわいさん、これ、どう 思いますか。
かわい：いいですね。あ、でも、ちょっと 重すぎると 思います。
ヤン　：でも、私が 使うので、だいじょうぶですよ。
かわい：ううん、重すぎて、使いにくいと 思いますよ。
ヤン　：そうですか。ううん、そうかもしれませんね。

2

V	にくいです やすいです

Difficult to do something / Easy to do something

つかいます → つかいにくいです／つかいやすいです
この アイロンは 重すぎて、使いにくいです。
この アイロンは 軽くて、使いやすいです。

① ただしい かたちを 書きましょう。

1. この アイロンは 軽くて、（ つかいます → 　つかいやすい　 ）と 思います。
2. 新しく 買った 音楽プレーヤーは 使い方の せつめいが
（ わかります → わかりにくうい ）、こまりました。
3. この れいぞうこは 中が 広いので、
（ そうじします → そうじしやすい ）、気に いっています。
4. JF社の せんたく機は 静かです。
そして、中の ものを （ とりだします → とりだしやすい ）ので、便利です。
5. 日本製の 電気製品は （ こわれます → こわれにくい ）ので、長く 使えます。

② かいわを 作りましょう。

1
キム　：よしださん、これ、（ a ）。
よしだ：使い方が かんたんで（ c ）。
キム　：はい。使い方が かんたんなのが 一番ですね。
よしだ：ええ。（ b ）。

a どう 思いますか
b そう 思います
c よさそうですね

2
カルメン：すずきさん、これ、どう 思いますか。
すずき　：ちょっと 機能が 多すぎると 思います。
カルメン：でも、（ b ）。
すずき　：ううん、機能が 多すぎて、（ c ）。
カルメン：（ a ）。

a そうかもしれませんね
b 便利そうですよ
c 使いにくいですよ

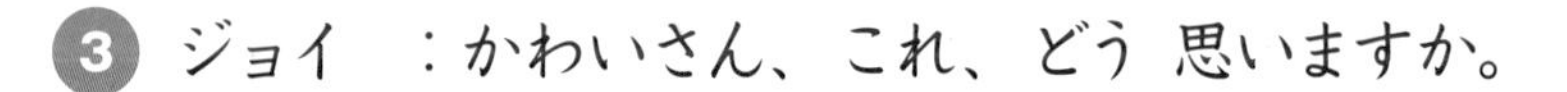

3
ジョイ：かわいさん、これ、どう 思いますか。
かわい：ちょっと（ b ）。
ジョイ：でも、うちは 家族が 少ないので、（ a ）。
かわい：ううん、（ c ）、使いにくいと 思いますよ。

a だいじょうぶです
b 小さすぎますよ
c 小さすぎて

12

3 1 の かいわを れんしゅうしましょう。

ことばと文化

自分の いけんと ちがう いけんを 言われた とき、どう こたえますか。
How do you reply when someone gives an opinion that differs from yours?

a それは ちがいます。
b 私は そう 思いません。
c そうですか。
d そうかもしれませんね。
e そのほか ____________________

3 かいわとぶんぽう

1 聞きましょう。 210

カーラさんは ネットショッピングで せんぷう機を 買います。
さいとうさんは てつだっています。

さいとう：カーラさん、新しい せんぷう機は、A と B、どちらが いいですか。
カーラ　：ねだんは どちらが 安いですか。
さいとう：ねだんは B モデルの 方が 安いです。
カーラ　：じゃあ、どっちが 使いやすいですか。
さいとう：A モデルです。A の 方が 軽くて、使いやすそうですよ。
カーラ　：じゃあ、A モデルに します。

2

N1 と N2（と）どちら／どっちが ＿＿＿＿＿か。
（N1 より）N2 の ほうが ＿＿＿＿＿。

A と B、どちらが 安いですか。
B の 方が 安いです。

Asking/Answering the result of a comparison between N1 and N2. 'どっち' is used in spoken Japanese.
（比較。「どっち」は話し言葉。）

① イラストを 見て 書きましょう。

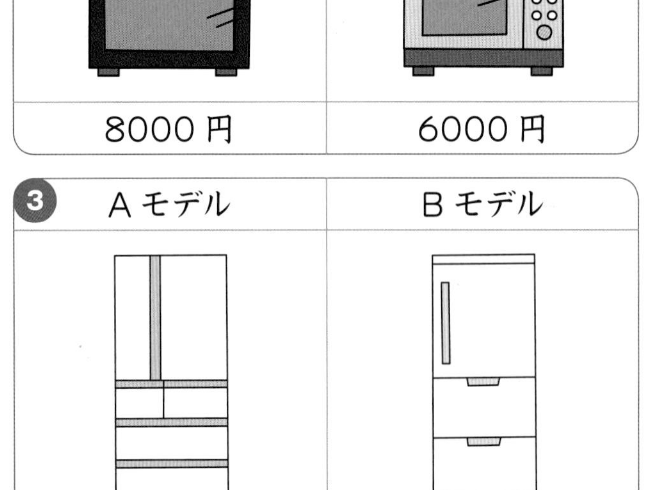

❶	A モデル	B モデル
	8000 円	6000 円

❷	A モデル	B モデル
	0.8Kg	1.3Kg

❸	A モデル	B モデル
	250kwh ／年	300kwh ／年

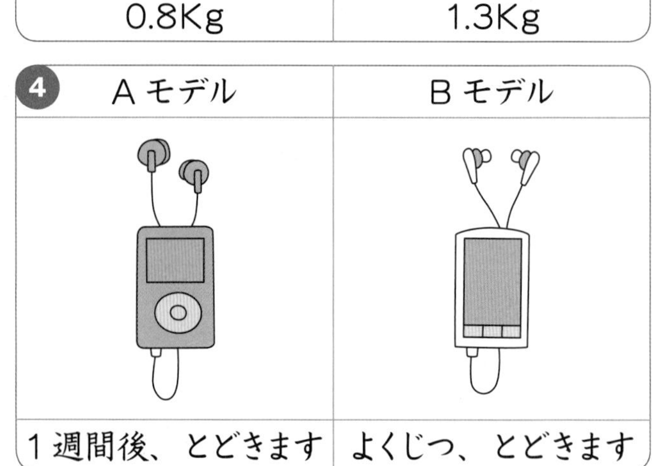

❹	A モデル	B モデル
	1 週間後、とどきます	よくじつ、とどきます

1 （ A ）モデルより（ B ）モデルの 方が 安いです。

2 （ B ）モデルより（ A ）モデルの 方が 軽くて、よさそうです。

3 （ A ）モデルの 方が 省エネです。（ A ）モデルが いいと 思います。

4 （ B ）モデルの 方が 早く とどくので、（ B ）モデルに します。

② 聞いて、メモを しましょう。メモは 何語でも いいです。

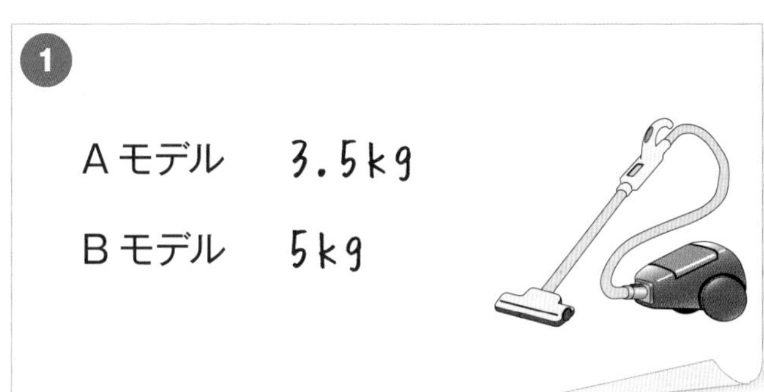

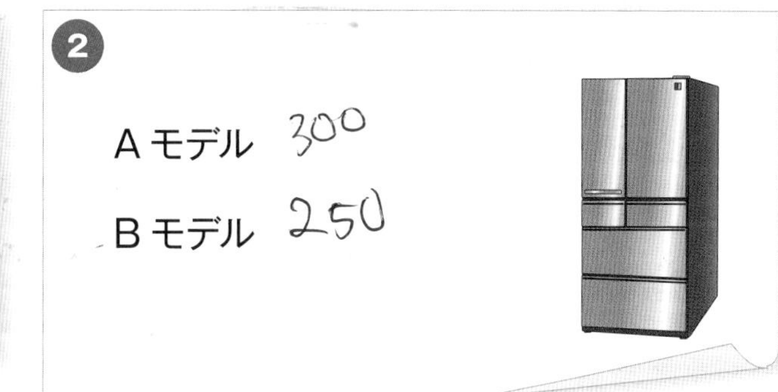

③ ②の メモを 見て、もう いちど ②を 聞いて、ただしい ことばを えらびましょう。

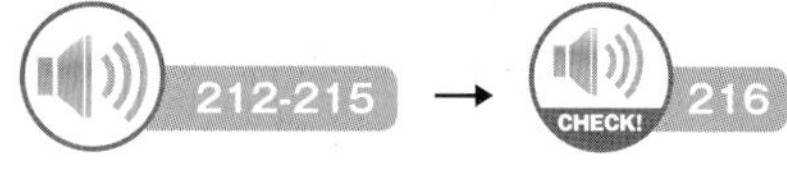

1 Aモデルの 方が（ a かるくて ）よさそうです。

2 Bモデルの 方が（ d ）です。

3 Bモデルの 方が（ c ）と 思います。

4 Aモデルの 方が 使い方が（ b ）よさそうです。

a かるくて　b かんたんで　c デザインが いい　d 省エネ

3 1の かいわを れんしゅうしましょう。

❹ どっかい

「ユーザーコメント」

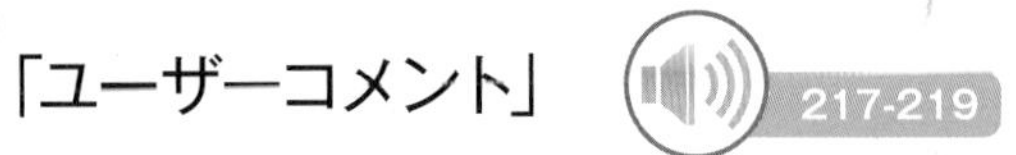

ユーザーコメントを 読みましょう。3人は 何を 買いましたか。

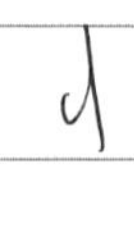

❶ 中が 広くて、食べ物を とりだしやすいし、そうじも しやすいし、買って よかったです。前のより 省エネに なりました。ねだんは ちょっと 高かったけど、満足しています。

❷ 思ったより サイズが 大きいですが、軽いので、問題 ありません。つよい 風と よわい 風の ２つしか ないですが、たぶん あまり こまりません。

❸ さらを 洗う しんぱいを しないで いろいろ 作れるので、料理が 楽しく なりました。ほんとうに きれいに なるので、びっくりです。

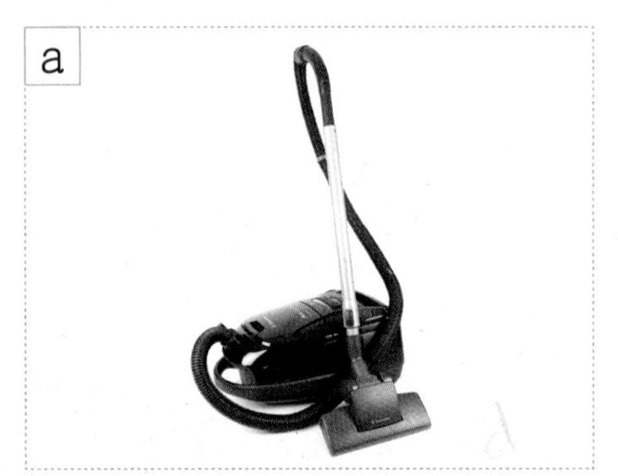

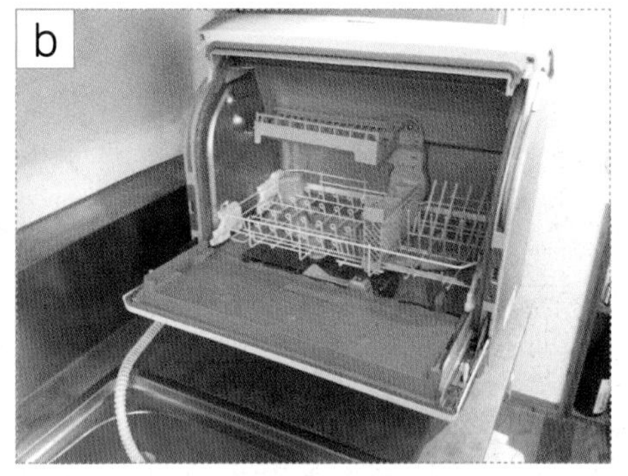

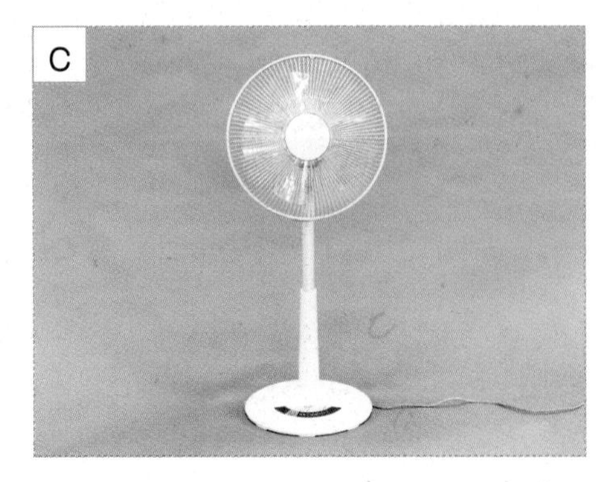

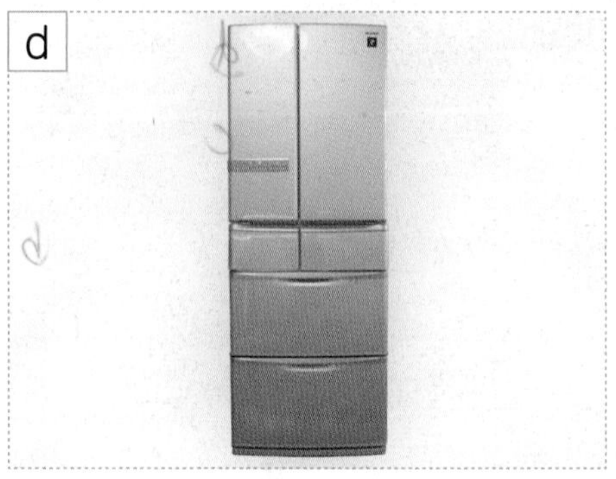

歴史(れきし)と 文化の 町

だい13か

この お寺(てら)は 14 世紀(せいき)に たてられました

・京都は いつ 来ても、楽しめます。
・おばあちゃんと ２人で 来ました。
・京都は ８世紀の 終わりに つくられました。

だい14か

この 絵は とても 有名だそうです

・この 絵は 日本で 一番 古い マンガだそうです。
・イベントを 知らせるために、カレンダーを 作ります。
・受付に イベントカレンダーが おいてあります。

7

3か この お寺(てら)は 14 世紀(せいき)に たてられました

勉強する 前に

- 観光ツアーに 出かける 前に、ほかの 人と どんな ことを 話しますか。
  What do you talk about with others before going on a sightseeing tour?
- あなたの 町を よく 知らない 人に あなたの 町の れきしや でんとう文化について どのように せつめいしますか。
  How do you explain the history and traditional culture of your town to someone who is not familiar with it?

1 もじとことば

1 日本語で 何ですか。

① 1800 ねん（ a ）　② 19＿＿＿＿（　　）　③ 20Cの＿＿＿＿（　　）

④ 20Cの＿＿＿＿（　　）　⑤ 20Cの＿＿＿＿（　　）

② 19C　20C　21C

① 1800　1900　2000　2100

③　④　⑤

a ねん　b なかごろ　c はじめ（ごろ）　d せいき　e おわり（ごろ）

2 ただしい ことばを えらびましょう。

① 外国の 友だちに 私の 国の 文化を（ e しょうかいします ）。

② 新しい じんじゃを（　　　　）。

③ 毎年 7月に 祭りを（　　　　）。

④ 京都まで 船で にもつを（　　　　）。

⑤ この へやは 人に 会う とき、（　　　　）。

a おこないます
b はこびます
c たてます
d つかいます
e しょうかいします

3 ただしい ことばを えらびましょう。 CHECK! 221

かたちは 同じですが、意味が ちがいます。

1. おてらの 絵を ＿＿＿。
   れきししょうせつを ＿＿＿。 → a かきます
2. ガイドさんの 話を ＿＿＿。
   ガイドさんに 料金が いくらか ＿＿＿。 → c
3. せつめいする とき、ガイドさんは 手を ＿＿＿。
   友だちに おみやげを ＿＿＿。 → d
4. おてらを ＿＿＿。
   そばを 食べる とき、音を ＿＿＿。 → b

a かきます　　b たてます　　c ききます　　d あげます

4 聞いて 書きましょう。 222

1. ＿＿＿＿＿＿＿＿＿＿
2. ＿＿＿＿＿＿＿＿＿＿
3. ＿＿＿＿＿＿＿＿＿＿

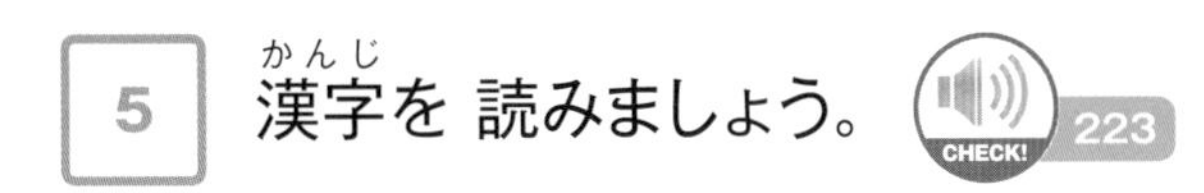

5 漢字(かんじ)を 読みましょう。 CHECK! 223

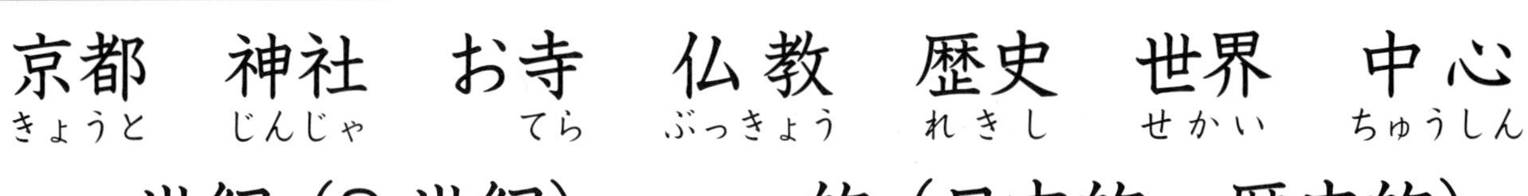

京都(きょうと)　神社(じんじゃ)　お寺(てら)　仏教(ぶっきょう)　歴史(れきし)　世界(せかい)　中心(ちゅうしん)

～世紀(せいき)（8世紀(はっせいき)）　～的(てき)（日本的(にほんてき)、歴史的(れきしてき)）

1. 京都には 仏教の お寺や、神社が たくさん あります。
2. 京都は 歴史的な 場所が 多いので、世界中(じゅう)から 観光客が 見に 来ます。
3. 町の 中心に ある たてものは、8世紀ごろの ものです。

❷ かいわとぶんぽう

1 聞きましょう。 224

なかむらさんは 京都で 友だちを あんないします。

なかむら：ルパさん、キムさん、京都は はじめてですか。
ルパ　　：私は はじめてです。どうぞ よろしく お願いします。
キム　　：私は２回目です。去年の 秋、妹と ２人で 来ました。
　　　　　でも、春も いいですね。
なかむら：ええ。京都は いつ 来ても 楽しめますよ。
キム　　：なかむらさんは 何回目ですか。
なかむら：私は たぶん ７回目です。京都は 何を 食べても おいしいし、
　　　　　どこに 行っても 日本的な ふんいきが あるし、いいですよ。

2

〔いつ／なに／どこ／だれ〕V-て も、＿＿＿＿＿。

京都は いつ 来ても、楽しめます。

Whenever, whatever, wherever, whoever（すべての場合）

ただしい ものを えらびましょう。 

1. この にわは、一年中 花が さいています。（ a いつ 来ても ）、楽しめます。
2. 京都は 観光の 町です。（ d ）、おみやげの 店が あります。
3. 京都には いろいろな おかしが あります。（ c ）、おいしいです。
4. 京都は 世界中の 人に 人気が あります。
（ b ）、いちど 行ってみたいと 言います。

a いつ 来ても　　b だれに 聞いても　　c 何を 食べても　　d どこに 行っても

3 じょし

N（ひと person）と　N（かず quantity）で　妹と ２人で 京都に 来ました。

'で' shows that N is limited to a particular number/quantity.（グループの人数）

① 聞きましょう。 226-229

京都は
はじめてですか。

(1) ４人は 京都に はじめて 来ましたか。何回目ですか。

(2) 今日は 何人で 来ましたか。

	① ホセさん	② ジョイさん	③ やまださん	④ パウロさん
(1)	（ 1 ）回目	（ 3 ）回目	（ 4 ）回目	（ 2 ）回目
(2)	d	c	b	a

a

b

c

d

② （　）に じょし（で・と）を 書きましょう。 CHECK! 230

① 今日は 家族４人（ で ）来ました。

② 今日は 友だち２人（ と ）来ました。３人（ で ）京都を 楽しみます。

③ 中学生の とき、学校の 旅行で 来ました。今回は 母（ と ）いっしょです。

④ 前は おばあちゃん（ と ）２人でしたが、今回は １人（ で ）観光します。

4 1 の かいわを れんしゅうしましょう。

❸ かいわとぶんぽう

1 聞きましょう。 231

なかむら：これが 京都の 町です。
キム　　：わあ、歴史的な お寺や 神社が 町中に ありますね。
なかむら：はい。京都は 8世紀の 終わりに、てんのう＊によって つくられました。
　　　　　ここが 御所（ごしょ）。てんのうが 住んだところで、京都の 中心でした。
キム　　：へえ、そうですか。
ルパ　　：あのう、道が まっすぐで わかりやすいですね。
なかむら：はい。この 町は とても けいかく的に つくられていますからね。
　　　　　じゃあ、出発しましょう。

＊てんのう（桓武天皇（かんむてんのう） 737-860）＝ Emperor (Emperor Kammu 737-860)

2 うけみ ① Passive

V-（ら）れます

Stating the action V in the passive voice. The agent of the action can be marked by 'によって'.
（動作を受け手の立場で言う。動作主は「によって」で表す。）→ ② L18

京都は 8 世紀の 終わりに てんのうによって つくられました。

<うけみけい>

1 グループ			
おこないます つかいます しります つくります	おこなわれます つかわれます しられます つくられます	かきます はなします	かかれます はなされます
2 グループ		3 グループ	
たてます	たてられます	とうろくします	とうろくされます

1 ただしい 方を えらびましょう。 CHECK! 232

1. 京都には 神社や 仏教の お寺が たくさん（ a たてました　b たてられました ）。
2. 仏教の お寺では 肉を 食べません。野菜の 料理が（ a つくります　b つくられます ）。
3. 毎年 7月に 有名な 祇園祭（ぎおんまつり）が（ a おこないます　b おこなわれます ）。
4. 京都の 人たちは 京ことばを（ a はなしています　b はなされています ）。
5. 私は 観光するとき いつも バスを（ a つかっています　b つかわれています ）。

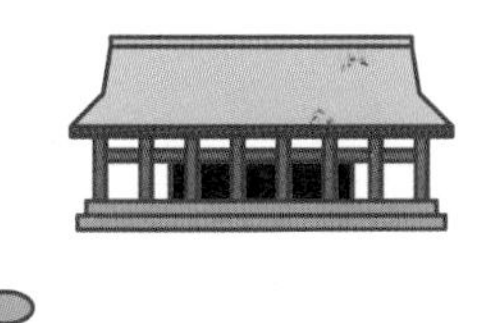

2 うけみの かたちを 書きましょう。 CHECK! 233

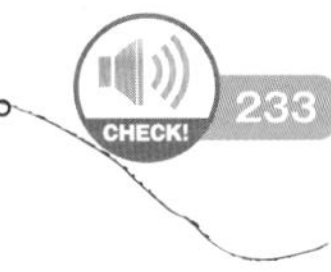

金閣寺（きんかくじ）

この お寺は 14 世紀に しょうぐん* によって（ 1 たてました → たてられました ）。
そして、うつくしい にわが、（ 2 つくりました → つくられました ）。
金色の きれいな たてものは、金閣（きんかく）と 言います。
金閣（きんかく）の 金は、金ぱく* が（ 3 つかっています → つかわれています ）。
金閣寺（きんかくじ）は とても うつくしい 寺として、よく（ 4 しっています → しられています ）。
もちろん、世界いさんとして（ 5 とうろくしています → 　　　　）。

* しょうぐん（足利義満（あしかがよしみつ） 1358-1408）＝ Shogun (Ashikaga Yoshimitsu 1358-1408)
* 金ぱく＝ gold leaf

3 1 の かいわを れんしゅうしましょう。

❹ どっかい

「むかしの 京都」 

ぶんを 読んで こたえましょう。

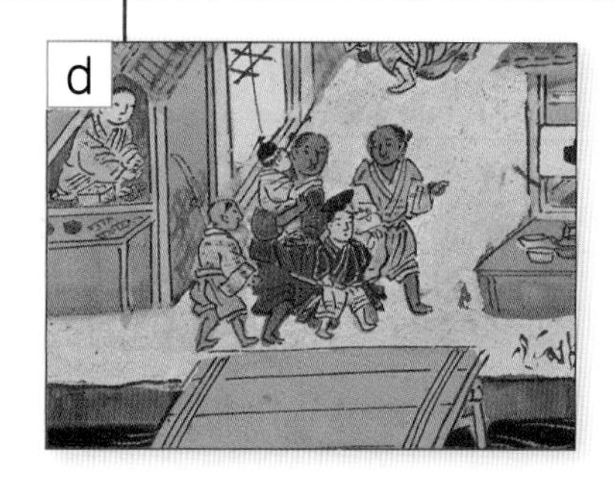

これは、16 世紀の 中ごろに かかれた 京都の 絵です。この 絵を 見ると、京都の 人たちが むかし どんな せいかつを していたか、わかります。家の にわでは おどりを おどったり、音楽を 楽しんだり しています。町には うまで にもつを はこんでいる 人 ❶ や、子どもを つれている 家族 ❷ が います。にぎやかな 通りの 店で 買い物を している 人や、川で あそんでいる 子どもたち ❸ も います。祭りを 楽しそうに 見ている 人 ❹ も います。これは 祇園祭(ぎおんまつり)と いう 祭りで、今も 毎年 7月に 京都で おこなわれています。

❶ - ❹ の 人たちは 絵の 中の どこに いますか。

❶（ a ）　❷（ d ）　❸（ e ）　❹（ b ）

● この 絵を 見て どう 思いますか。気が ついた ことを 話しましょう。

5 さくぶん

「私の 町の 歴史と 文化」 

あなたの 町の 歴史的に 有名な ものを 紹介しましょう。

これは、二条城（にじょうじょう）と いう しろです。
京都に あります。
<いつ？>　17 世紀に 徳川（とくがわ）しょうぐんによって たてられました。
<どんな？> しろの 中に 大きくて きれいな 絵が たくさん かかれています。
外国からも 観光客が 見に 来ます。

写真

これは、

<いつ？>

<どんな？>

13

● 自分で 書いてみましょう。 （→ p167）

だい14か この 絵は とても 有名だそうです

勉強する 前に

- はくぶつかんに ある ものを 友だちに どのように せつめいしますか。
  How do you explain a collection in a museum to a friend?
- はくぶつかんには どのような サービスが ありますか。
  What kind of services does a museum offer for visitors?

1 もじとことば

1 日本語で 何ですか。

a ぶんかざい　b がっき　c どうぐ
d やきもの　e おりもの

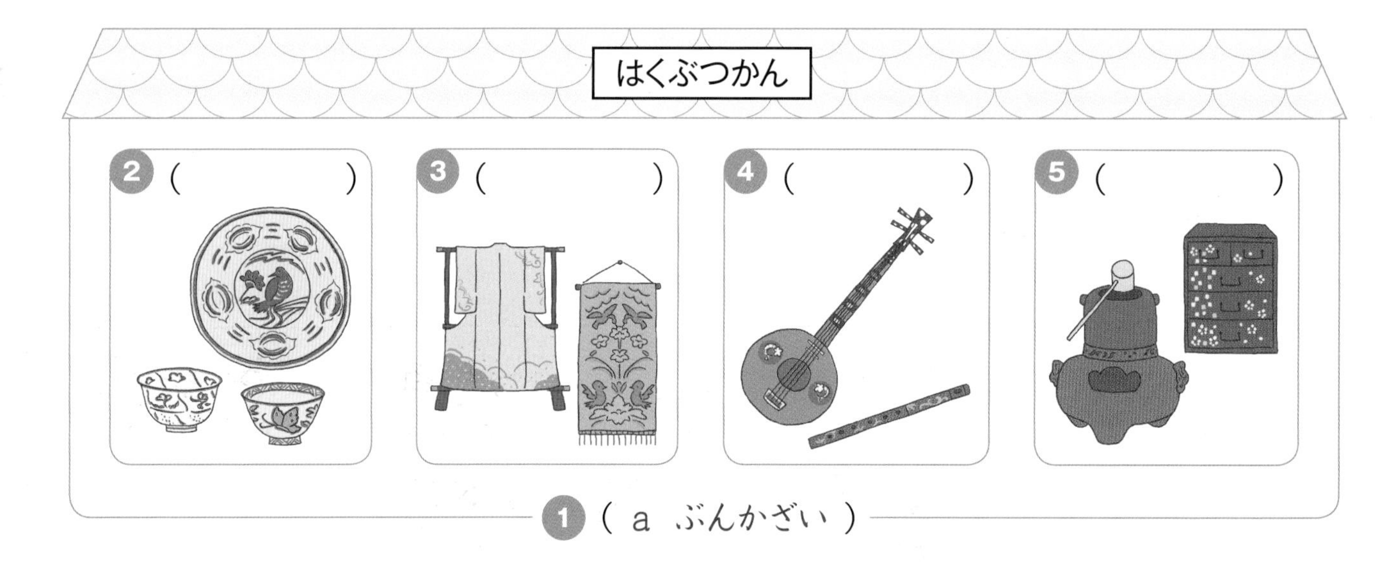

2 ただしい ことばを えらびましょう。 CHECK! 235

a せつめいします
b おきます
c しらせます
d はります
e しらべます

① 友だちに 日本の いけばなについて（ a せつめいします ）。
② 受付に 外国語の パンフレットを（ b ）。
③ はくぶつかんの ポスターを ロビーに（ d ）。
④ 本や インターネットで 日本の 歴史を（ e ）。
⑤ 友だちに メールで はくぶつかんの イベントを（ c ）。

3 ただしい ことばを えらびましょう。❶ - ❺ は どこですか。

❶ いろいろな ぶんかざいが ある ところ　（ d はくぶつかん ）
❷ 絵を 見に 行く ところ　（ e ）
❸ えいがを 見る ところ　（ b ）
❹ 海や 川に いる 動物を 見に 行く ところ　（ c ）
❺ 本を 読んだり、借りたり する ところ　（ a ）

a としょかん
b えいがかん
c すいぞくかん
d はくぶつかん
e びじゅつかん

4 聞いて 書きましょう。

❶ ______________________

❷ ______________________

❸ ______________________

5 漢字（かんじ）を 読みましょう。

飲食 いんしょく	禁止 きんし	説明 せつめい	道具 どうぐ	博物館 はくぶつかん
	必要 ひつよう	～階（2階） かい　にかい		

❶ 博物館の 中は 飲食禁止です。
❷ 2階に むかしの お茶の 道具が あります。
❸ ぶんかざいの 説明は 少し むずかしいので、読む とき じしょが 必要です。

14

❷ かいわとぶんぽう

1 聞きましょう。 

よしださんは 博物館で 説明を 読んで
カーラさんに 話しています。

カーラ：この 絵、おもしろいですね。
よしだ：ええ、うさぎや かえるが わらったり、すもうを したり していますね。
カーラ：これ、古いんですか。
よしだ：ええっと、今から 800 年ぐらい前に かかれたそうです。
　　　　日本で 一番 古い マンガだそうですよ。
カーラ：へえ、日本人は むかしから マンガが 上手なんですね！

2 S（ふつうけい plain form）そうです

Relaying information that the speaker read or heard
（伝聞）→ L17

この 絵は 日本で 一番 古い
マンガだそうです。

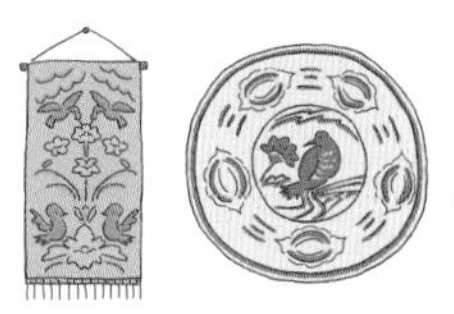

① ただしい かたちを 書きましょう。 

❶ この おりものは 今から 500 年ぐらい前に（ つくられました → つくられたそうです ）。
❷ この 絵は とても 古くて、だれが かいたか（ わかりません → わからないそうです。
❸ 日本の やきものは、17 世紀に ヨーロッパで 人気が（ ありました → あったそうです。
それで、日本から 船で たくさん（ はこばれました → はこばれたそうです。
❹ これは 有名な しょうぐんが 使った お茶の（ どうぐです → どうぐだそうです。

② 聞きましょう。 

博物館の ガイドの 人は
どれについて 説明していますか。

❶（ a ）　　❷（ d ）
❸（ c ）　　❹（ b ）

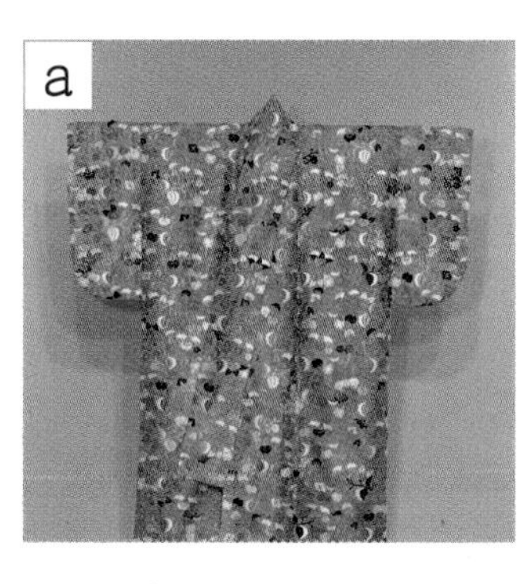

坂本龍馬（さかもとりょうま）
（1836-1867）

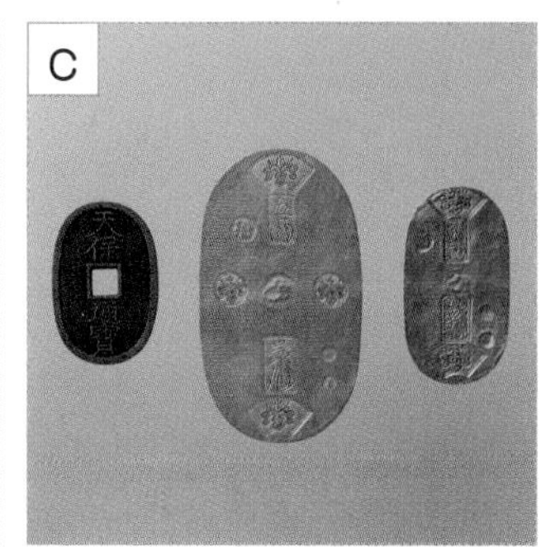

③ もう いちど 聞いて、ただしい ことばを 書きましょう。

聞いた ことを 友だちに 言います。

1. この きものは ぶしの おくさんが お祭りの とき、（　きたそうです　）。
2. これは インドの 古い がっきと（　に いってそうです　）。
3. これは むかしの お金で、200 年ぐらい前に（　つかわれた いったそうです　）。
4. これは 歴史的に 有名な 人が 書いた（　でがみそうです　）。

3　**1** の かいわを れんしゅうしましょう。

❸ かいわとぶんぽう

1　聞きましょう。 245

シンさんたちは 博物館の カフェで 休んでいます。

シン　：おもしろい ものが たくさん ありましたね。また 来たいです。
ゆうこ：じゃあ、イベントカレンダーを 見ると いいですよ。
シン　：イベントカレンダー？
ゆうこ：博物館は イベントを 知らせる ために、わかりやすい カレンダーを
　　　　作っているんです。たぶん、受付に おいてありますよ。
シン　：そうですか。じゃあ、帰る 前に もらっていきます。

2	V-る Nの	ために、＿＿＿＿＿

イベントを 知らせる ために、カレンダーを 作ります。
博物館に よく 来る 人の ために、カレンダーを 作ります。

V/N is the purpose of the action; in order to V/for N.（目的）

① ただしい ものを えらびましょう。

❶（ a ）、わりびき*料金が あります。

❷（ c ）、無料の ロッカーが あります。

❸（ e ）、いろいろな ところに いすが あります。

❹（ d ）、博物館は ときどき アンケートを します。

❺（ b ）、３階に ミュージアムショップが あります。

*わりびき＝discount
*～いじょう＝more than ～

a 20人いじょう*の グループで 来た 人の ために
b おみやげを 買いたい 人の ために
c 大きい にもつを 持っている 人の ために
d 見に 来た 人の かんそうを 知る ために
e つかれた 人が 休む ために

② 聞きましょう。 247-250

博物館の スタッフは お客さんに 話を 聞いて、どんな サービスを 紹介しましたか。

❶（ b ）　❷（ c ）
❸（ a ）　❹（ d ）

a「デジタルとしょかん」
b「年間パスポート」
c「今月の おすすめコース」
d「はじめての はくぶつかん」

③ もう いちど 聞いて、ことばを えらんで、ただしい かたちを 書きましょう。

1. 博物館に よく（　b くる　）人の ために、「年間パスポート」が あります。
2. 短い 時間で（　みる　）ために、「今月の おすすめコース」が あります。
3. てんじひん*について（　しらべる　）ために、「デジタルとしょかん」が あります。
4. 漢字（かんじ）が（　よめない　）子どもの ために、「はじめての はくぶつかん」が あります。

a みます　　b きます　　c よめません　　d しらべます

* てんじひん = exhibits

3 V-て あります

受付に イベントカレンダーが おいてあります。

Showing the condition of something as a result of a deliberate action.
（意図的な働きかけによる結果の状態）

ただしい 方を えらびましょう。 

1. ゆうこ：あ、シンさん、ここは 飲み物、だめですよ。
   あそこに 飲食禁止と（ a 書いてあります　　b 書いています ）。
   シン　：え、飲んじゃ だめですか。すみません。
2. よしだ：出口（でぐち）の 近くに「世界の がっきてん*」の ポスターが
   （ a はってありますよ　　b はっていますよ ）。
   カーラ：そうですか。ちょっと 見ていきましょう。

   * ~てん = exhibition of ~
3. シン　：受付に アンケートが（ a おいてありますよ　　b おいていますよ ）。
   書いていきませんか。
   カーラ：いいですよ。
4. よしだ：シンさんは どこですか？
   カーラ：まだ アンケートを（ a 書いてあります　　b 書いています ）。
   よしだ：そうですか。じゃあ、もう 少し 待ちましょう。

4 1 の かいわ（p131）を れんしゅうしましょう。

あなたの 国の 博物館には どんな サービスが ありますか。

14

❹ どっかい

「まるごと博物館の サービス」 

カーラさんの ブログを 読みましょう。

今日、まるごと博物館に 行きました。とても おもしろかったです。
毎週 木よう日に 無料の 外国語ガイドツアーが あります。
もうしこみは 必要 ありません。
いつも たくさんの 人が 参加するそうですから、早く 行った 方が いいです。
日本の 文化を もっと 知る ために、毎月 10 日と 25 日に セミナーが あります。
セミナーは もうしこみが 必要なので、気を つけて ください。
くわしい ことは 博物館の サイトを 見て ください。
URL:www.museum-marugoto.kyoto.jp

博物館の 2 階には 日本的な カフェが あります。
まっちゃの アイスクリームが おいしかったです。
ぜひ 行ってみて ください。

❶ - ❺ は ただしいですか。(ただしい ○、ただしくない ×)

❶ 外国語ガイドツアーは 週に 1 回 あります。 (○)

❷ 外国語ガイドツアーの 料金は 博物館の 受付に 書いてあります。 (×)

❸ セミナーは もうしこみを してから 参加します。 (○)

❹ セミナーは 月に 4 回 おこなわれます。 (×)

❺ 博物館の カフェの アイスクリームは おいしいです。 (○)

せいかつと エコ

だい15か

電気が ついたままですよ

・会議室の 電気が ついたままです。
・私は 自分の はしを 使うように しています。
・自分の はしは、ごみを へらすのに いいです。

だい16か

フリーマーケットで 売（う）ります

・服が 着られなく なりました。
・服が 着られなく なったら、どう しますか。
・ゆうこさんは ネクタイを バッグに しました。
・ペットボトルが ふくに なりました。

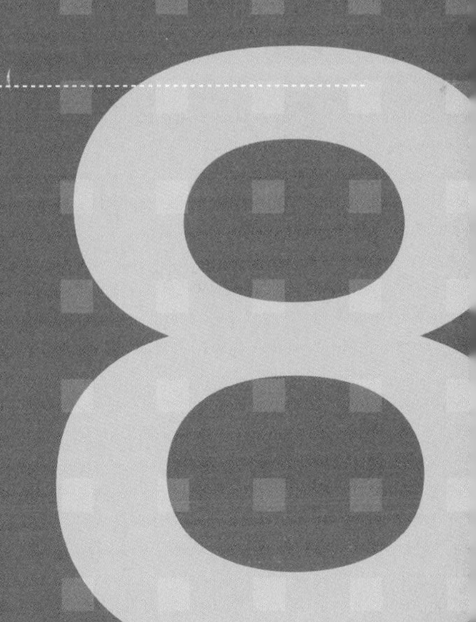

だい15か 電気が ついたままですよ

勉強する 前に

- 会社や 家で 電気が むだに 使われていたら、あなたは 何と 言いますか。
  What do you say when you find electricity is being wasted at your office or home?
- あなたは ごみを へらす ために、何か していますか。
  Do you do anything to reduce the amount of rubbish you produce?

1 もじとことば

1 日本語で 何ですか。

a だします	b のこします	c むだに します
d ながします	e さげます	f よごします

1 (d)　2 (f)　3 (e)　4 (b)　5 (c)　6 (a)

2 ことばを えらびましょう。 

1. (　a むだな　) コピーを しないで、かみを たいせつに 使いましょう。
2. スーパーでは ほんとうに (　b　) ものだけ 買いましょう。
3. レストランで、注文した 料理を のこすのは (　c　) です。
4. グリーンカーテンは すずしいし、きれいだし、とても (　d　)。

a むだな　b ひつような　c もったいない　d やくに たちます

3 日本語で 何ですか。

ごみを

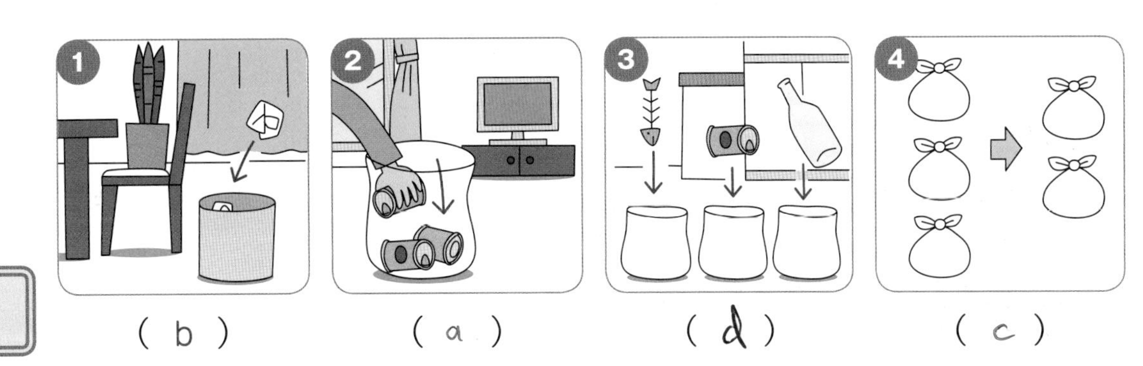

(b) (a) (d) (c)

a いれます　b すてます　c へらします　d わけます

4 聞いて 書きましょう。 255

1

2

3

5 漢字(かんじ)を 読みましょう。 CHECK! 256

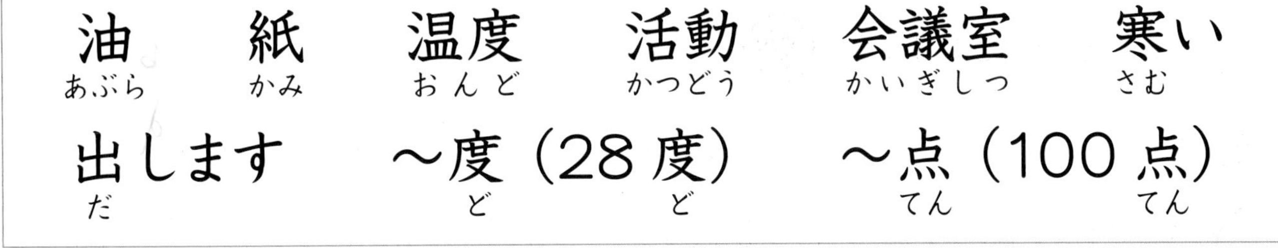

油 あぶら　紙 かみ　温度 おんど　活動 かつどう　会議室 かいぎしつ　寒い さむ

出します だ　～度（28度） ど ど　～点（100点） てん てん

1 うちの 会社の エコ活動は 100点だと 思います。

2 紙を むだに しません。

3 会議室の 温度は 夏 28度で、冬 寒い ときも 20度です。

4 私は だいどころから 油を ながしません。

5 さらを 洗う とき、水を たくさん 出しません。

15

2 かいわとぶんぽう

1 聞きましょう。 257

キャシー：たなかさん、午前の 会議は
　　　　　もう 終わりましたか。
たなか　：はい。11 時に 終わりました。
キャシー：会議室の 電気が ついたままですよ。
たなか　：すみません。けすのを わすれました。
キャシー：気を つけて ください。電気が もったいないですから。
たなか　：はい。すぐ けします。

2

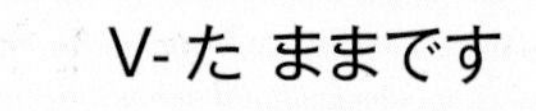

V-た ままです

会議室の 電気が ついたままです。
まどを あけたまま（で）、帰らないで ください。

Describing a situation that remains as is/unchanged（状態が変わらないで続いていること）

① えらびましょう。どの ぶんが つづきますか。

1. たなかさん、コンピューターが ついたままですよ。　（ a ）
2. オフィスの まどが あいたままですよ。　（ c ）
3. ナターリヤさん、エアコンの 温度を 22 度に したままですよ。　（ b ）
4. コピー機の スイッチが 入ったままですよ。　（ d ）

a 帰る とき、けして くださいね。
b すずしくなったら、28 度に しましょう。
c エアコンが ついている ときは、しめましょう。
d 6 時ですから、スイッチを きっても いいですか。

② イラストを 見て、ことばを えらんで、ただしい かたちを 書きましょう。

1. へやの 電気が（ c ついたまま ）ですよ。使わない ときは、けして ください。
2. プリンターの スイッチが（ はいりたまま d ）ですよ。帰る 前に、きって くださいね。
3. 寒い ときは、コートを（ ~~きって~~ b きったまま ）で 仕事を しても いいです。
4. 水を（ a ）で コップを 洗っちゃ だめですよ。
5. ドアが（ e ）ですよ。エアコンが ついている ときは、しめましょう。

a だします　b きます　c つきます　d はいります　e あきます

3 [1] の かいわを れんしゅうしましょう。

ことばと文化

ほかの 人に ちゅういする とき、どう 言いますか。
What do you say to remind someone of something they were supposed to do?

a 電気が ついたままですよ。
b 電気を つけたのは あなたですか。
c 電気を けして ください。
d （ちゅういしません。）
e そのほか ____________________

15

❸ かいわとぶんぽう

1 聞きましょう。 260

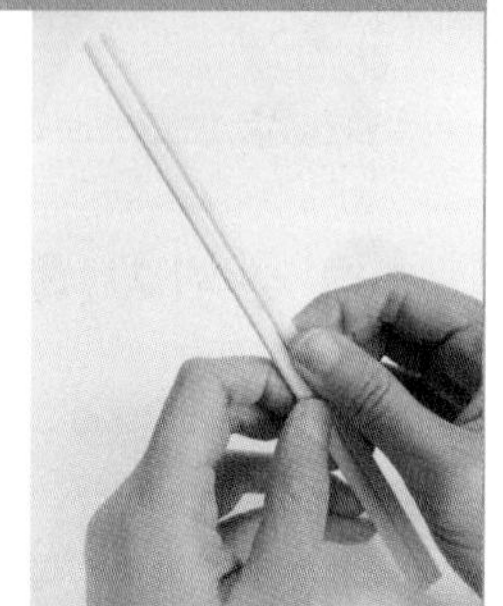

カーラ：よしださんは 何か エコ活動を していますか。
よしだ：私は わりばしを 使わないように していますよ。
カーラ：え？ じゃあ、どうやって 食べるんですか。
よしだ：かばんの 中に いつも 自分の はしを 入れているんです。
カーラ：なるほど。それは ごみを へらすのに やくに たちますね。

2

V-る V-ない	ように しています

私は 自分の はしを 使うように しています。
私は わりばしを 使わないように しています。

Stating habitual routines one tries to follow（習慣的に心がけていることを述べる。）

① 聞きましょう。

何か エコ活動を していますか。

❶ カルメンさん	❷ ヤンさん	❸ かわいさん	❹ くのさん
a	b	d	

a
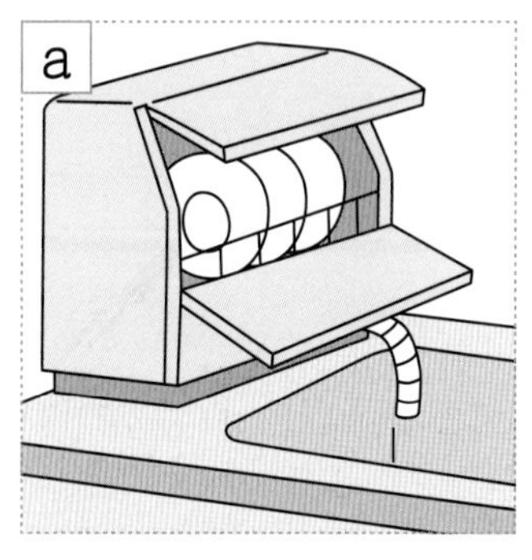

b
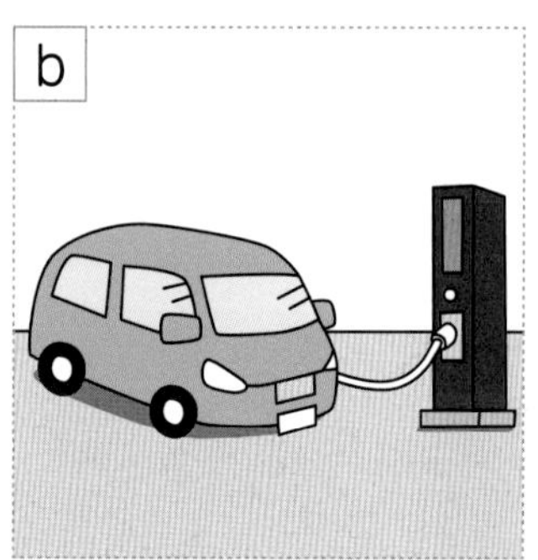

c
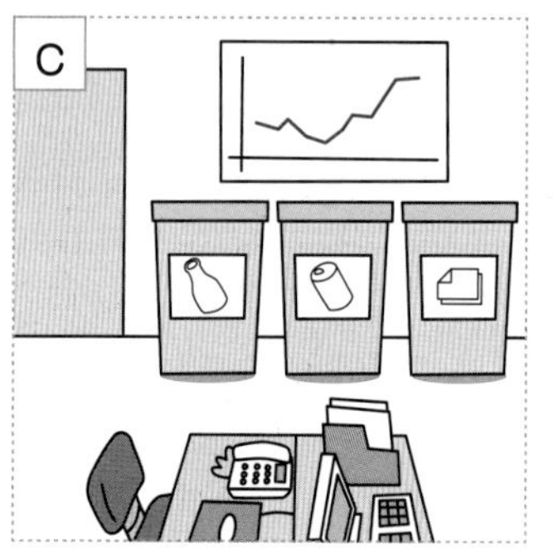

d

② ① を もう いちど 聞いて、ことばを えらんで、ただしい かたちを 書きましょう。

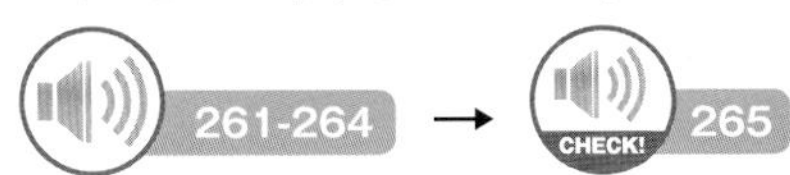

1. しょくせん機を 使って、水を（ b へらす ）ように しています。
2. 電気じどうしゃに 乗って、空気を（ d ）ように しています。
3. 買い物の とき、ものを（ c ）ように しています。
4. 会社では ごみを わけて（ a ）ように しています。

a すてます	b へらします	c かいすぎます	d よごします

3 V-る の に いいです／つかいます／…

自分の はしは、ごみを へらすのに いいです。

It is good for (doing) something. / I use it to do something. 'の' nominalizes verbs.

イラストを 見て、ことばを えらんで、ただしい かたちを 書きましょう。

15

a さげます
b いれます
c つくります
d へらします

1. ソーラーパネルは 電気を（ c つくる ）のに 使います。
2. グリーンルーフは へやの 温度を（ a ）のに やくに たちます。
3. この ふくろは ごみを（ d ）のに 使います。
4. コンポストは 食べ物の ごみを（ b ）のに いいです。

4 1 の かいわを れんしゅうしましょう。

あなたは 何か エコ活動を していますか。

どっかい

「エコ活動 アンケート」 

アンケートを 読んで こたえましょう。あなたは 何点ですか。

いつも する…2点　　ときどき する…1点　　ぜんぜん しない…0点

1. むだな コピーは しないように しています。 (　　)
2. できるだけ かいだんを 使うように しています。 (　　)
3. へやが 明るい ときは、電気を つけないように しています。 (　　)
4. ごみを わけて すてるように しています。 (　　)
5. 買い物の とき、食べ物を 買いすぎないように しています。 (　　)
6. できるだけ 食べ物を のこさないように しています。 (　　)
7. 短い 時間で シャワーを あびるように しています。 (　　)
8. かおを 洗う とき、水を 出したままに しないように しています。 (　　)
9. だいどころから 油を ながさないように しています。 (　　)
10. 歩いたり、じてんしゃに 乗ったり して、できるだけ 車を 使わないように しています。 (　　)

(　　　点) ／20点

16～20点　すばらしいです
11～15点　がんばっています
0～10点　がんばりましょう

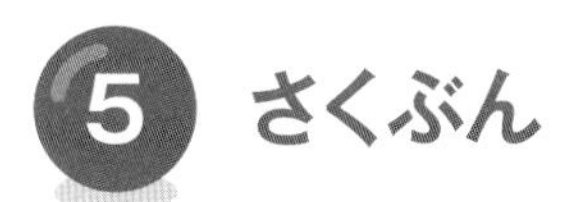

5 さくぶん

「私の エコ活動」 

あなたが している エコ活動について 友だちに 紹介しましょう。

私は ごみを へらす ために、できるだけ スーパーの ふくろを もらわないように
しています。自分の バッグを 持っていきます。
それから、空気を よごさない ために、電車や バスを 使うように しています。
できる ことを 少しずつ したいと 思います。

私は ＿＿＿＿＿＿＿＿＿＿ ために、
＿＿＿＿＿＿＿＿＿＿＿＿＿ ようにしています。
＿＿＿＿＿＿＿＿＿＿＿＿＿＿＿＿＿＿
それから、＿＿＿＿＿＿＿＿＿＿ ために、
＿＿＿＿＿＿＿＿＿＿＿＿＿ ようにしています。
できる ことを 少しずつ したいと 思います。

● 自分で 書いてみましょう。 （→ p167）

15

6か フリーマーケットで 売(う)ります

勉強する 前に

- あなたは 着なく なった ふくを どう しますか。すてますか。
  What do you do with old clothes that you no longer wear? Do you throw them out?
- あなたの まわりに リサイクルで 作られた ものが ありますか。
  Can you find any recycled products nearby?

1 もじとことば

a やぶれます　b よごれます
c しゅうりします　d あなが あきます

1 日本語で 何ですか。

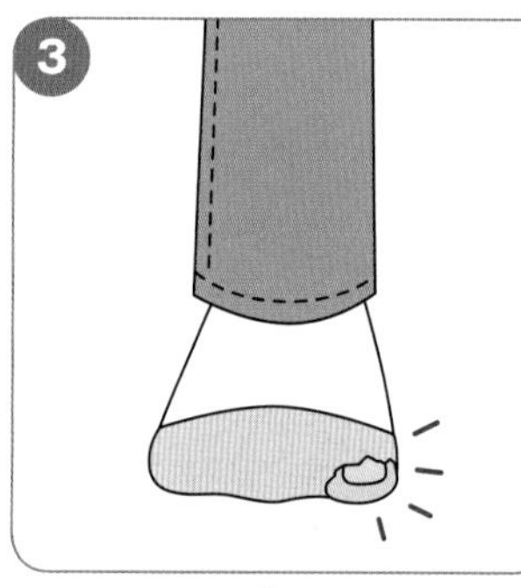

1 (a)　2 (c)　3 (d)　4 (b)

2 かんけいが ある ことばを えらびましょう。

1 (b すてます) — ひろいます
2 買います — (c)
3 (a) — もらいます
4 こわれます — (d)
5 かします — 借ります — (e)

a あげます　b すてます　c うります　d しゅうりします　e かえします

3 ただしい ことばを えらびましょう。

1. 旅行の とき、使いたいので、レンタルショップで ビデオカメラを
（ a かりました　b もらいました　c かえしました ）。
2. 先月、そうじ機が こわれて しまいました。友だちに 使っていないのを
（ a しゅうりしました　b もらいました　c あげました ）。
3. 子どもが あきて あそばない ゲームソフトが、家に たくさん あります。
リサイクルショップに 持っていって（ a かします　b かいます　c うります ）。
4. うちの せんたく機は 古くて しゅうりできないので、
（ a かりました　b すてました　c ひろいました ）。

4 聞いて 書きましょう。 269

1.
2.
3.

5 漢字（かんじ）を 読みましょう。

服（ふく）　自転車（じてんしゃ）　自動車（じどうしゃ）

売（う）ります　貸（か）します　返（かえ）します

変（か）わります　～用（よう）（子（こ）ども用（よう））

1. フリーマーケットで 子ども用の 自転車を 売りました。
2. 友だちに 借りた 自動車を 返しに 行きました。
3. 出張に 必要な ものは 私が 貸しますから、すぐ 買わない 方が いいです。
4. 服の サイズが 変わったので、弟に あげました。

16

2 かいわとぶんぽう

1 聞きましょう。 271

キム　：さとうさん、サイズが 変わって、服が 着られなく なったら、
　　　　どう しますか。
さとう：私は フリーマーケットで 売ります。
キム　：フリーマーケットですか。
さとう：ええ。フリーマーケットは 便利ですよ。ほしい 人が 買いますから。
キム　：おもしろそうですね。私も やってみたいです。

2 へんか ② Change

V-（られ）なく なりました　　服が 着られなく なりました。

Indicating changes using verbs in potential form; No longer able to（動詞可能形を使って変化を表す。）
→ ① L11, ③ L18, ④ L18

① ただしい かたちを 書きましょう。

<かのうけい>

グループ	V-る	V-（られ）る	V-（られ）ない	V-（られ）なく ＋ なりました
1	つかう	つかえる	つかえない	つかえなく なりました
	はく	❶ はける	❷ はけない	❸ はけなくなりました
	よむ	❹ よめる	❺ よめない	❻ よめなくなりました
2	きる	きられる	きられない	きられなく なりました

② ただしい 方を えらびましょう。

❶ 子どもが 大きく なって、服が（ⓐ 着られなく　　b 着なく）なりました。
来月の フリーマーケットで 売ります。

❷ サイズが 変わって、スカートが（ⓐ はけなく　　b はかなく）なったので、
妹に あげました。

❸ バッグが やぶれて（ⓐ 使えなく　　b 使わなく）なったので、
来週 新しいのを 買いに 行きます。

❹ むすこが あきて（ⓐ 読めなく　　b 読まなく ）なった 本を、友だちの 子どもに あげました。

❺ あなが あいて くつしたが（ⓐ はけなく　　b はかなく ）なったので、そうじの とき、使いました。

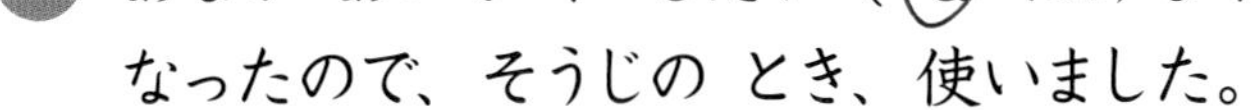

3 じょうけん ② Conditional

S1 たら 、 S2

服が 着られなく なったら、どう しますか。
If; when（仮定条件）→ ① L7

① 聞きましょう。

273-276

どう しますか。　❶（ a ）　❷（ d ）　❸（ c ）　❹（ b ）

a

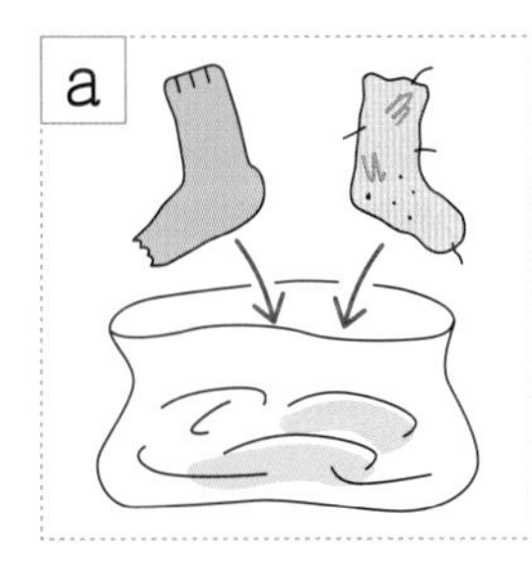

b

c

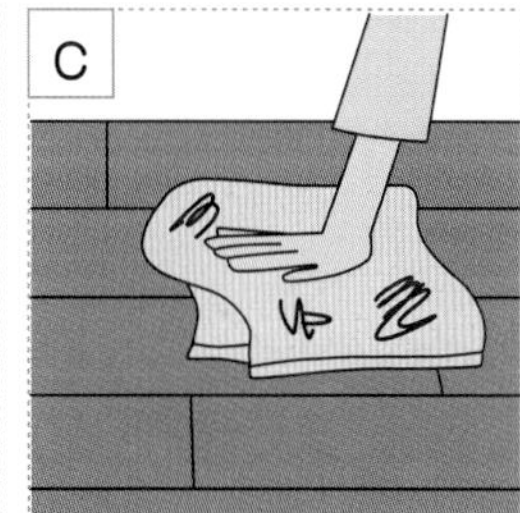

d

② ① を もう いちど 聞いて、ことばを えらんで、ただしい かたちを 書きましょう。

273-276 → CHECK! 277

❶ くつしたが（　d はけなく なったら　）、もったいないけど、すてます。

❷ 電気製品が（　~~こわれなく なったら~~ こわれたら　）、しゅうりして 使います。

❸ タオルが よごれて（　c つかえなく なったら　）そうじの ときに 使います。

❹ スーツケースが（　b ひつように なったら　）、レンタルショップで 借ります。

a こわれます	b ひつように なります
c つかえなく なります	d はけなく なります

4 [1] の かいわを れんしゅうしましょう。

あなたは 着られなく なった 服や 読まなく なった 本を どう しますか。

16

❸ かいわとぶんぽう

1 聞きましょう。 278

パク　：ゆうこさん、それ、おもしろい バッグですね。
ゆうこ：ああ、これ、おっとの 古い ネクタイを バッグに したんです。
パク　：へえ。ネクタイが バッグに なるんですか。
ゆうこ：ええ。本を 見て 作ってみたんです。
パク　：すてるのは もったいないですからね。

2 N1を N2に します　　ゆうこさんは ネクタイを バッグに しました。

Someone intentionally alters the state of N1 to make N2.（意志的に N1 の状態を変える。）

① 聞きましょう。 

前は きものでしたか。（はい ○、いいえ ×）

1 （ ○ ）　2 （ ○ ）　3 （ × ）　4  （ ○ ）

② ただしい ぶんを 書きましょう。じょし（を・に）も 書きましょう。 

❶ a ブラウス　b しました　c スカーフ　d 着られなく なった

→ d 着られなく なった　a ブラウスを　c スカーフに　b しました 。

❷ a ぼうし　b ジーンズ　c はけなく なった　d しました

→ c, b を a に d 。

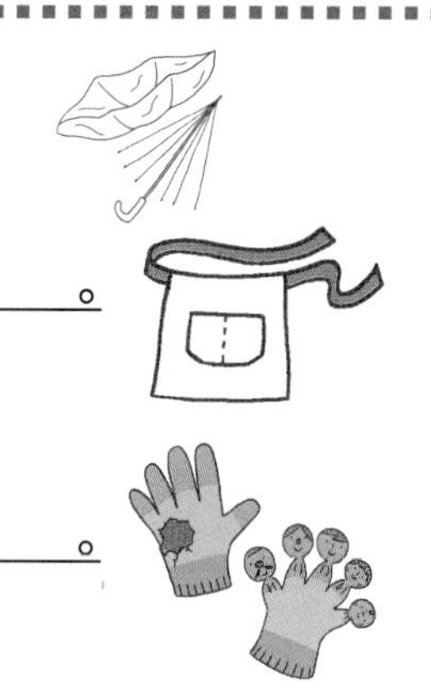

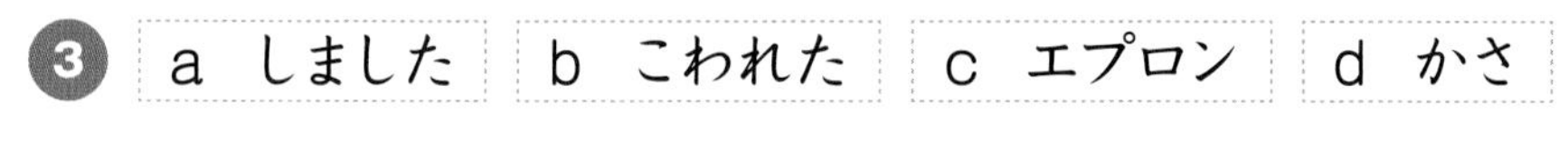

❸ a しました　b こわれた　c エプロン　d かさ

→ b, d を c に しました。

❹ a てぶくろ　b にんぎょう　c あなが あいた　d しました

→ c a を b に d 。

3　N1が N2に なります　ネクタイが バッグに なりました。

Indicating changes in a state; N1 becomes N2.（状態の変化を表す。）

① イラストを 見て こたえましょう。

❶ - ❹ の ぶんは、ただしいですか。（ただしい ○、ただしくない ×）

❶ ネクタイが 服に なりました。　（ × ）

❷ きものが かさに なりました。　（ ○ ）

❸ ペットボトルが そうじの 道具に なりました。　（ ○ ）

❹ トイレットペーパーが しんぶんしに なりました。　（ × ）

② ① の ただしくない ぶんを ただしい ぶんに しましょう。

・ネクタイが バッグに なりました。

● あなたの まわりで どんな リサイクルが ありますか。

4　1 の かいわを れんしゅうしましょう。

どっかい

「売ります・あげます」 
281-284

メッセージを 読んで こたえましょう。どの 自転車に しますか。　（　　）

子ども用の 自転車が 必要です。
子どもは 5 さいの 男の子です。
できれば もらいたいんですが、
4,000 円ぐらいまで お金を はらいます。
車で とりに 行けます。

a

6 か月しか 使っていないので、きれいです。ねだんは 4,000 円です。
車が あるので、持っていけます。女の子用です。
4 さいから 6 さいぐらいまでの 子どもに ちょうど いいと 思います。
山本（yamamoto1983@marugoto.com）

b

大きい 自転車を 買ったので、小さいのが いらなく なりました。
うちの 子は 5 さいから 2 年間 使いました。少し 古いので、あげます。
色は きいろなので、男の子でも 女の子でも だいじょうぶだと 思います。
森川（morikawa_m@marugoto.com）

c

5、6 さいの 男の子用の 自転車です。色は 青です。
新しいので ねだんは 8,000 円ですが、とりに 来られる 人は 6,000 円で
いいです。とりに 来る ときは、午前中に お願いします。
水島（mizushima55@marugoto.com）

人生

じんせい

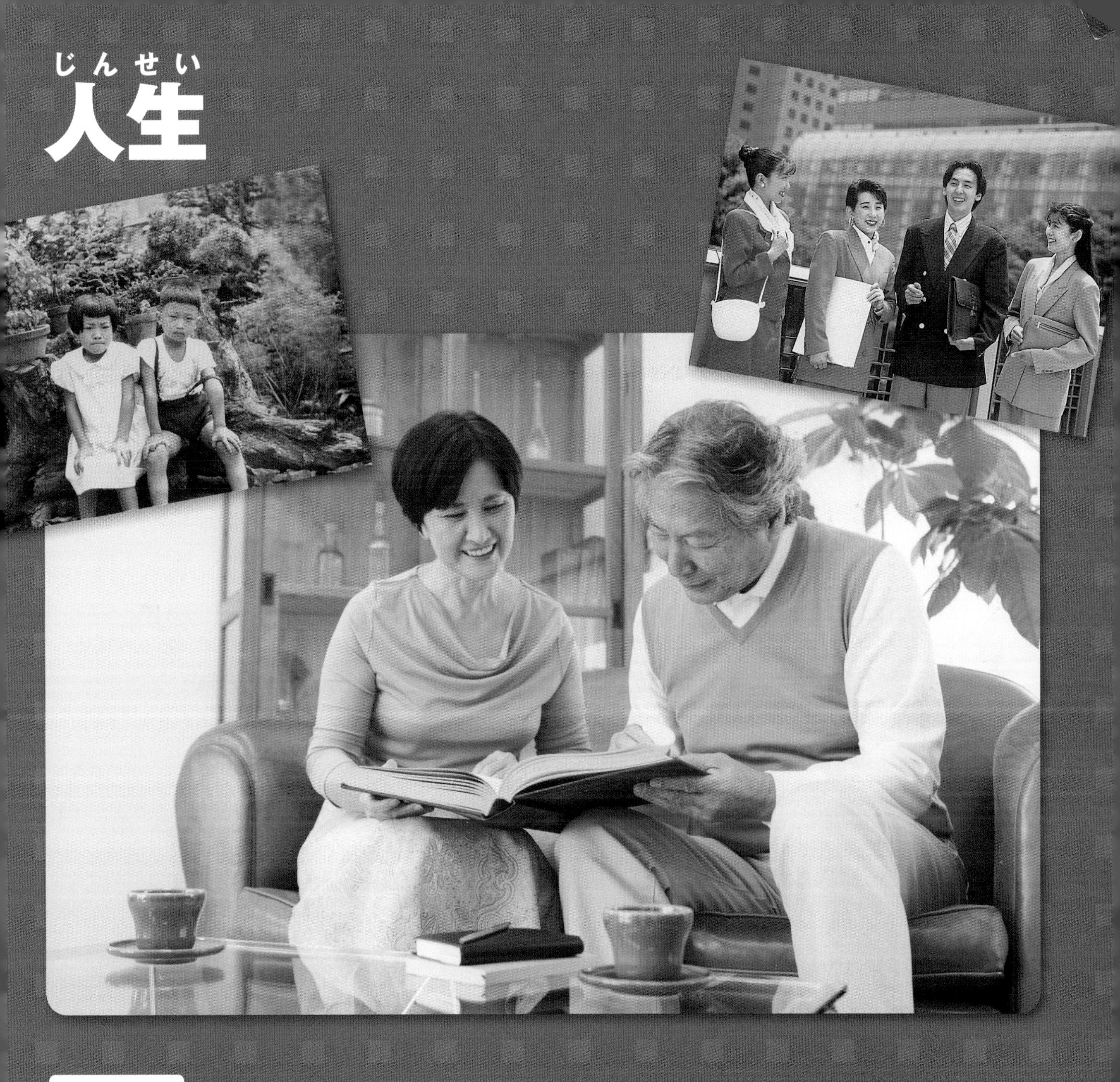

9

だい17か　この 人、知っていますか

- この 歌手は ２回目の 結婚を するそうです。
- フランスに 行ってから、ずっと お金が ありませんでした。
- 画家は なくなるまで、フランスで 絵を かきました。
- この 画家は 一番 有名かもしれません。

だい18か　どんな 子どもでしたか

- 私は 先生に 絵を ほめられました。
- 朝 早く 起きるように なりました。
- しゅうしょくしてから、友だちに あまり 会えなく なりました。

だい17か この 人、知っていますか

勉強する 前に

- あなたの 国で 有名な 人は だれですか。
  さいきん、有名な 人について 何か ニュースが ありましたか。
  Who is famous in your country? Have you heard any news about a famous person recently?
- 有名な 人の じんせいについて 何か 知っていますか。
  Do you know anything about the life of a famous person?

1 もじと ことば

a じょゆう	b がか	c おんがくか
d さっか	e じつぎょうか	
f せいじか	g スポーツせんしゅ	

1 日本語で 何ですか。

げいじゅつか

(g スポーツせんしゅ)

はいゆう/ a
(d)

かしゅ/ c
( )

(b)

(d)

(f)
/しゅしょう/だいとうりょう

(e)

2 ただしい ことばを えらびましょう。 

この スポーツせんしゅは 東京で（ ❶ a うまれました ）。

22さいの とき、オリンピックで メダルを（ ❷ c ）。

25さいの とき、結婚しましたが、3年後に（ ❸ e ）。

3 years later

39さいの とき、せんしゅを（❹　d　）。
それから、コーチに なりました。
70さいの とき、びょうきで（❺　b　）。

a うまれました
b なくなりました
c とりました
d やめました
e りこんしました

3 ただしい ことばを えらびましょう。

❶ がかの みずのさんは 南の 島で（ⓐ すばらしい　b いそがしい）絵を かいています。
❷ せいじかの たやまさんは（ a きびしい　ⓑ まずしい ）人の ために 働いています。
❸ 有名な じつぎょうかの じこの ニュースを 聞いて、
（ a ゆっくりしました　ⓑ びっくりしました ）。
❹ ドイツに 留学した とき、この おんがくかは ことばが わからなくて、
（ ⓐ くろうしました　b まんぞくしました ）。

4 聞いて 書きましょう。 287

❶ ＿＿＿＿＿＿＿＿　❷ ＿＿＿＿＿＿＿＿
❸ ＿＿＿＿＿＿＿＿

5 漢字（かんじ）を 読みましょう。

人生 じんせい	歌手 かしゅ	選手 せんしゅ	画家 がか	作家 さっか
入学 にゅうがく	卒業 そつぎょう	病気 びょうき	若い わか	生まれます う

❶ 冬の オリンピックでは、若い 選手が よく がんばりました。
❷ 私は 1990 年に 生まれました。父は 画家ですが、私は 歌手に なりたいです。
❸ 作家は いろいろな 人生を 小説（しょうせつ）に します。
❹ 姉は 東京の 大学に 入学しました。でも 病気で 卒業できませんでした。

17

2 かいわとぶんぽう

1 聞きましょう。 289

さとう：この 人、知っていますか。
エド　：いいえ。だれですか。
さとう：有名な 歌手です。若い 人に とても 人気が ありますよ。
エド　：そうですか。知りませんでした。
さとう：テレビで 見たんですが、来月 じょゆうと ２回目の 結婚を するそうです。

2 S（ふつうけい plain form） そうです

この 歌手は ２回目の 結婚を するそうです。

Relaying information that the speaker read or heard.（伝聞） → L14

① ただしい 方を えらびましょう。

この 歌手は、どんな 人ですか。

1. 外国で（ a 生まれる　b 生まれた ）そうです。
2. 子どもの ときから いろいろな 外国語が（ a 話した　b 話せた ）そうです。
3. ピアノを ひくのが（ a 上手だ　b 上手な ）そうです。
4. 10年前は あまり（ a 有名じゃない　b 有名じゃなかった ）そうです。
5. カラオケで 歌が よく（ a 歌われている　c 歌っている ）そうです。

② ことばを えらんで、ただしい かたちを 書きましょう。

しんぶんで 読んだんですが…

1 

2 

3 

4 

5 

1. 日本の すいえい選手が 金メダルを（　a　とったそうです　）。
2. 来年 外国の じつぎょうかが この 国に 大きな こうじょうを（　d　つくるそうです）。
3. 有名な じょゆうが、作家と 結婚して 1年で（　e　りこんするそうです）。
4. 来週 日本の せいじかが この 国に（　b　）。
5. 新しい しゅしょうは（　c　じょせいだ）そうです。

a　とりました	b　きます	c　じょせいです	d　つくります	e　りこんしました

③ ニュースを 聞いて、おもしろいと 思った ことを 友だちに 話しましょう。

ニュースによると…

歌手の マイケルさんは 今日 浅草（あさくさ）に お寺を 見に行ったそうです。

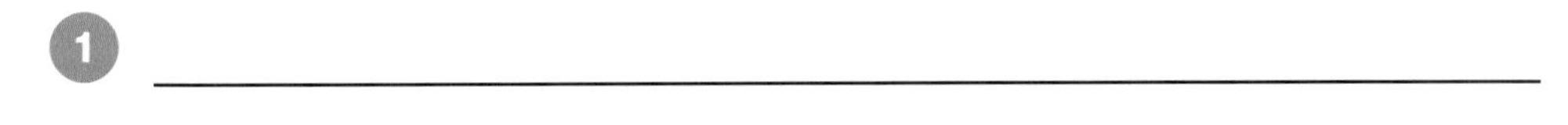

1. ＿＿＿＿＿＿＿＿＿＿＿＿＿＿＿＿＿＿＿＿
2. ＿＿＿＿＿＿＿＿＿＿＿＿＿＿＿＿＿＿＿＿

3　1 の かいわを れんしゅうしましょう。

今日の ニュースを 見て、友だちと 話しましょう。

○○と いう 歌手が ＿＿＿＿
そうですが、知ってますか。

あ、私も 聞きましたよ。

＿＿＿＿そうですが、ほんとうですか。

ええ、びっくりしました。

3 かいわとぶんぽう

1 聞きましょう。 293

のだ　：カーラさん、この 人、知っていますか。
カーラ：たしか 有名な 画家ですね。名前を 聞いたことが あります。
のだ　：この 人は 画家に なってから、フランスに 行ったそうです。
　　　　なくなるまで、フランスで すばらしい 絵を たくさん かきました。
　　　　日本人の 画家の 中で 一番 有名かもしれません。
カーラ：そうですか。

2

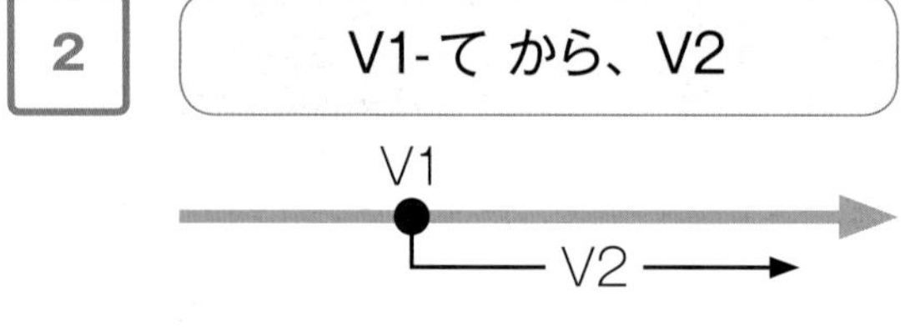

この 人は 画家に なってから、フランスに 行きました。
フランスに 行ってから、ずっと お金が ありませんでした。
V1 and then V2; Ever since V1, V2. → L4

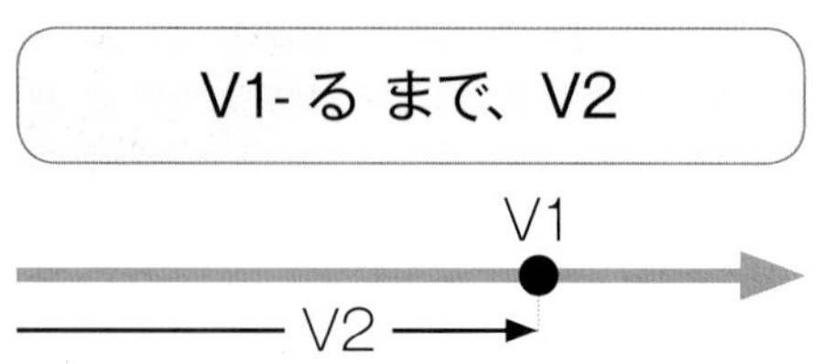

画家は なくなるまで、フランスで 絵を かきました。
V2 until V1 → L11

① 聞いて、ただしい 方を えらびましょう。 

この 画家の 人生は？

1 とても くろうしたのは いつですか。

2 パリに 住んでいたのは いつですか。

3 おくさんの 絵を たくさん かいたのは いつですか。

4 しょうを もらったのは いつですか。

② ① の こたえを 見て、ただしい ことばを 書きましょう。

1. この 人は 画家に（　なるまで　）、とても くろうしました。
2. この 人は（　けっこんするまで　）、パリに 住んでいました。
3. この 人は アルルに（　いってから　）、おくさんの 絵を たくさん かきました。
4. この 人は（　なくなってから　）、しょうを もらいました。

3

S（ふつうけい plain form）かもしれません　　この 画家は 一番 有名かもしれません。

Expressing the speaker's conjecture about the possibility of a situation or incident occurring（推量）

注意：ナA／N → ナA／N だかもしれません。

ことばを えらんで、ただしい かたちを 書きましょう。 CHECK! 296

1. A：この 画家は 若い とき、とても くろうしたそうですね。
   B：ええ。でも、なくなるまで、好きな 絵が かけて、
   （ e しあわせだったかもしれません ）。
2. A：この 絵は 日本の 家ですか。
   B：そうですね。これは 日本を 思いだして（ c かきたかもしれません ）。
3. A：この 絵は きれいな 女の人ですね。
   B：ええ。この 画家の（ b おくさんかもしれません ）。
4. A：この 画家は なくなってから、しょうを もらったんですか。
   B：ええ。もっと 早く しょうが（ d ）ね。
5. A：この 画家が 生まれたのは どこですか。
   B：私も 知りません。インターネットで しらべたら、（ a ）よ。

a　わかります	b　おくさんです	c　かきました
d　ほしかったです	e　しあわせでした	

4 [1] の かいわを れんしゅうしましょう。

4 どっかい

「ヤンさんの 人生」 

時間の じゅんに ぶんを ならべましょう。

(a)→(e)→(d)→(b)→(c)

a
ヤンさんは、1950 年に マレーシアの クアラルンプールで 生まれました。
サッカーが 好きで、マレーシア語、中国語、英語など いろいろな ことばが とくいな 子どもでした。

b
15 年ぐらい 働いてから、日本の 会社を やめました。
そして、ぼうえき会社(がいしゃ)を 作りました。

c
2010 年に おくさんと 日本に 行きました。
日本に 行く 前に、会社を 子どもに ゆずりました*。
日本に 行ってから、友だちの 会社を てつだったり、おくさんと 旅行したり しています。

* ゆずります = pass on

d
カナダの 大学を 卒業してから、帰国して マレーシアに ある 日本の 会社で 働きました。
ゆみさんと 結婚して、3 人の 子どもが 生まれました。
日本人の 友だちも たくさん できました。

e
高校を 卒業してから、カナダの 大学に 留学しました。せんもんは ビジネスでした。
留学している とき、日本人の ゆみさんに 会いました。
ゆみさんは 同じ 大学の 留学生でした。2 人は 結婚の やくそくを しました。

5 さくぶん

「カーラさんの 人生」 

カーラさん（10 さい）

『まるごと』の 人たちの 人生を 考えて、ぶんを 書きましょう。

カーラさんは、1989 年に フランスで 生まれました。

子どもの とき、お父さんに 日本の 絵本を もらってから、日本に きょうみを 持ちました。
高校の とき、家族と 日本に 旅行に 行ってから、もっと 日本が 好きに なりました。
高校を 卒業するまで、1 人で 日本語を 勉強しました。
大学に 入学して、日本語と 日本の 文化を せんもんに しました。

2014 年に 日本の だいがくいんに 留学して、日本に 住んでいます。

＜シンさんの 人生＞

シンさんは、＿＿＿＿＿＿＿＿＿＿＿＿＿＿＿＿＿＿＿＿

子どもの とき、＿＿＿＿＿＿＿＿＿＿＿＿＿＿＿＿から、

日本に きょうみを 持ちました。

高校の とき、＿＿＿＿＿＿＿＿＿＿＿＿＿＿＿＿＿＿＿＿

＿＿＿＿＿＿＿＿＿＿＿＿＿＿＿＿＿＿＿＿＿＿＿＿＿＿

＿＿＿＿＿＿＿＿＿＿＿＿＿＿＿＿＿＿＿＿＿＿＿＿＿＿

＿＿＿＿＿＿＿＿＿＿＿＿＿＿＿＿＿＿＿＿＿＿＿＿＿＿

● 自分で 書いてみましょう。（→ p167）

だい18か どんな 子どもでしたか

勉強する 前に

- あなたは どんな 子ども、学生でしたか。どんな おもいでが ありますか。
  What were you like when you were a child/student? What are your most vivid memories of your childhood and school days?
- 大人に なってから、どんな できごとや へんかが ありましたか。
  What kind of events and changes have taken place since you became an adult?

1 もじとことば

a さそいました	b えらびました
c しかりました	d ほめました
e たのみました	

1 日本語で 何ですか。 

CHECK! 302

1. 休みの 日に 友だちを 食事に（ a さそいました ）。
2. 弟は あまり 勉強しませんでした。
   母は よく 弟を（ c ）。
3. 先生は 歌が 上手な 子どもを（ ~~b~~ d ）。
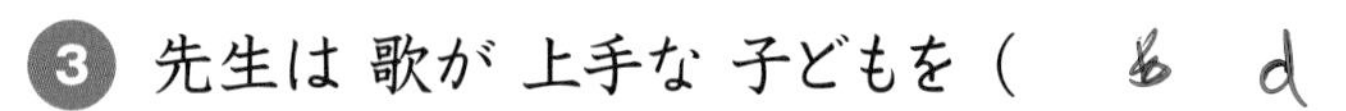
4. みんなは クラスで 一番 まじめな 学生を
   リーダーに（ b ）。
5. 私は いそがしい とき、会社の こうはいに
   よく 仕事を（ e ）。
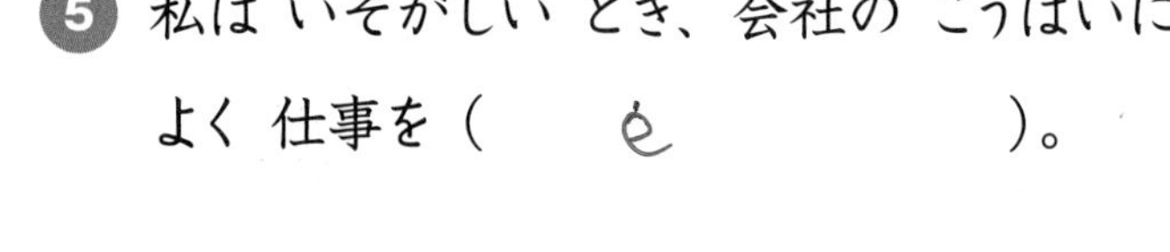

2 かんけいが ある ことばを えらびましょう。

1. 先生 ⟷（ d がくせい ）
2. 子ども ⟷（ e ）
3. おくさん ⟷（ ~~b~~ c ）
4. つま ⟷（ ~~a~~ b ）
5. こうはい ⟷（ a ）

a せんぱい	b おっと	c ごしゅじん	d がくせい	e りょうしん／おや

3 ただしい ことばを えらびましょう。

❶ 友だちから 誕生日の プレゼントを もらって、
（ a うれしかったです　 b たのしかったです ）。

❷ はじめて ひこうきに 乗った とき、大きく ゆれました。
とても（ a はずかしかったです　 b こわかったです ）。

❸ 友だちと 待ちあわせを した とき、道に まよいました。
（ a ざんねんでした　 b こまりました ）。

❹ みんなの 前で 日本語で スピーチを しました。
ちょっと（ a ざんねんでした　 b はずかしかったです ）。

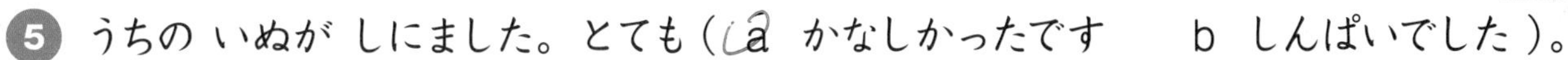

❺ うちの いぬが しにました。とても（ a かなしかったです　 b しんぱいでした ）。

4 聞いて 書きましょう。

❶ ＿＿＿＿＿＿＿＿＿＿＿＿＿＿＿＿

❷ ＿＿＿＿＿＿＿＿＿＿＿＿＿＿＿＿

❸ ＿＿＿＿＿＿＿＿＿＿＿＿＿＿＿＿

5 漢字（かんじ）を 読みましょう。

思い出	生活	映画	夫	妻
おも　で	せいかつ	えいが	おっと	つま

両親	不便	選びます	寝ます
りょうしん	ふべん	えら	ね

❶ むかしは うちに 車が なくて、生活が 不便でした。

❷ きのうの 夜、テレビで 映画を 見て、寝るのが おそくなりました。

❸ 両親は むかしの 思い出を 私に たくさん 話しました。

❹ 夫は 妻の 誕生日の プレゼントに 赤い バラを 選びました。

❷ かいわとぶんぽう

1 聞きましょう。 306

タイラー：さいとうさんは どんな 子どもでしたか。
さいとう：私は 歌を 歌ったり、ピアノを ひいたり するのが 好きでした。
タイラー：へえ、上手でしたか。
さいとう：そうですね。ピアノの コンテストで しょうを もらったことが ありますよ。
先生や 両親に ほめられました。うれしかったので、もっと れんしゅうしました。
タイラー：そうですか。ほめられると、がんばりますよね。

2 うけみ ② Passive

Stating the action from the point of view of the recipient of the action.
recipient = A、agent = B（動作を受け手の立場で表す。）→ ① L13

A は B に V-（ら）れます	← B は A を V
私は 母に しかられました。	← 母は 私を しかりました。
A は B に N を V-（ら）れます	← B は（A の）N を V
私は 先生に 絵を ほめられました。	← 先生は 私の 絵を ほめました。

① ただしい かたちを 書きましょう。

<うけみけい>

1 グループ			
さそいます わらいます （❷ えらぶ ）	さそわれます （❶ わらわれる ） えらばれます	たのみます （❹ よみます ） しかります	（❸ たのまれる ） よまれます （❺ しかられます ）
2 グループ			
みます	みられます	ほめます	（❻ ほめられます ）

② ただしい 方を 選びましょう。 

どんな 思い出が ありますか。

❶ 私は 学生の とき、好きな せんぱいに 食事に
（ a さそって ⓑ さそわれて ）、とても うれしかったです。

❷ 小学校の とき、先生は 子どもを きびしく
（ a しかりました　b しかられました ）。こわかったです。

❸ 私は 高校の とき、友だちに 0 点の テストを
（ a 見て　b 見られて ）、とても はずかしかったです。

❹ 若い とき、私は せんぱいに よく むずかしい 仕事を
（ a たのんで　b たのまれて ）、こまりました。

③ かいわを 聞いて ただしい イラストを 選びましょう。

4人は どんな
子どもでしたか。

❶ ジョイさん	❷ キムさん	❸ たなかさん	❹ ヤンさん
a	c	b	

a

b

c

d
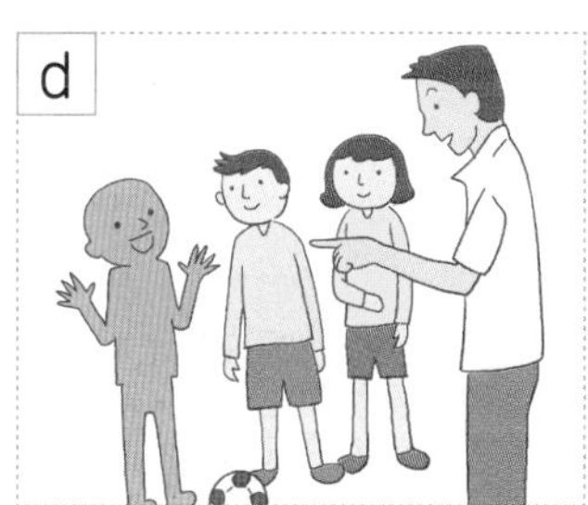

④ ③の 4人について ことばを 選んで、ただしい かたちを 書きましょう。

a（ ジョイさんは ）よく 先生に（ ア ほめられました ）。
b（ 3 ）友だちに さくぶんを（ オ わらわれました。 ）。
c（ 2 ）ときどき お父さんに（ エ しかられました。 ）。
d（ 4 ）サッカーの 選手に（ イ えらばれました ）。

ア ほめました
イ えらびました
ウ さそいました
エ しかりました
オ わらいました

3　1 の かいわを れんしゅうしましょう。

あなたは 子どもの とき、ほめられた ことや しかられた ことが ありますか。

だれに？

どうして？

はい。弟の おかしを 食べて、
母に しかられました。

3 かいわとぶんぽう

1 聞きましょう。 313

あべ：パクさん、しゅうしょくしてから、生活が 変わりましたか。
パク：ええ、会社が とおいので、朝 早く 起きるように なりました。
　　　仕事の ための 本も よく 読むように なりましたよ。
あべ：そうですか。がんばっていますね。
パク：はい。でも、学生の ときの 友だちに あまり 会えなく なりました。
あべ：それは ちょっと ざんねんですね。

2 へんか ③ Change

V- る ように V- なく	なりました

朝 早く 起きるように なりました。
夜 テレビを 見なく なりました。

Something expressed by V has become a common practice or custom.
（習慣などの行動の変化）→ ① L11, ② L16, ④ L18

ことばを 選んで、ただしい かたちを 書きましょう。

しゅうしょくしてから、変わりましたか。

1. 仕事は 朝 早いので、夜 早く（ a ねるように なりました ）。
2. ざんぎょうが 多くて、帰るのが おそいので、
家で テレビを（ e みなく なりました ）。帰ると、すぐ 寝て しまいます。
3. 会社の せんぱいに よく 飲みに さそわれるので、
お酒を（ のむように なりました）。

結婚してから、変わりましたか。

4. 家や 子どもの ことについて よく ２人で（ はなすように なりました ）。
5. 私は からい 料理が 好きですが、妻は あまり 好きじゃないので、
さいきん 私も（ b たべなく なりました。

a ねます　b たべません　c のみます　d はなします　e みません

3 へんか ④ Change <かのうけい>

V-（られ）る ように V-（られ）なく	なりました

病気が よくなって、何でも 食べられるように なりました。
しゅうしょくしてから、友だちに あまり 会えなく なりました。

Circumstance or capability expressed by V has changed.（能力や環境の変化）→ ① L11, ② L16, ③ L18

ことばを 選んで、ただしい かたちを 書きましょう。

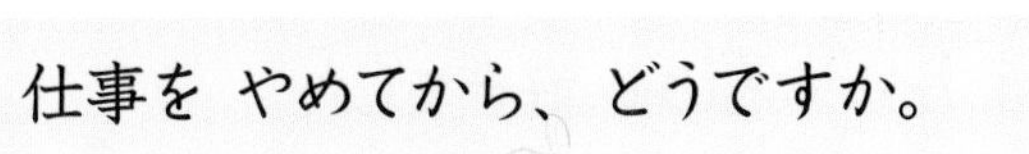

仕事を やめてから、どうですか。

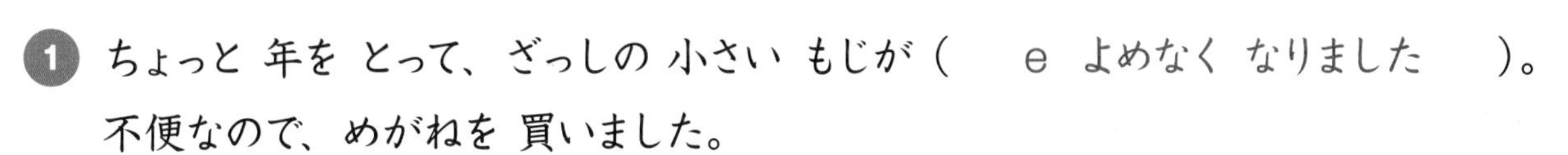

1. ちょっと 年を とって、ざっしの 小さい もじが（　e よめなく なりました　）。不便なので、めがねを 買いました。
2. 時間が できて、夫と いろいろな ところに（　b りょこうできるように なりました　）。今、毎日が 楽しいです。
3. すいえいを 始めました。今は かなり（　a およげるように なりました　）。若い ときより 元気ですよ。

お子さんが 生まれてから、どうですか。

4. 子どもが よく なくので、ゆっくり（　d ねらなく ねられなく なりました　）。いつも ねむいです。
5. 妻も 私も 映画が 好きですが、今は あまり 見に（　c いけなく なりました　）。

a およげます　b りょこうできます　c いけません　d ねられません　e よめません

4 1 の かいわを れんしゅうしましょう。

ことばと文化

友だちの きんきょうを 聞いて、あまり よくない 話が あったら、
あなたは 何と 言いますか。
When a friend tells you about his/her recent frustrations, what do you say to him/her?

a ざんねんですね。　b がんばって ください。　ⓒ たいへんですね。
d そうですか。　e そのほか ____________________

4 どっかい

「子どもの ときの 思い出」 

すずきまりさんと お兄さんの ぶんを 読んで、答えましょう。

1

私は 子どもの とき、いつも 外で 友だちと あそびました。休みに 海や 山に 行って、キャンプを したり、つりを したり するのも 好きでした。でも、両親に 言わないで とおくに 行って、よく しかられました。ときどき 妹を さそいましたが、妹は うちで 本を 読みたいと 言って、いっしょに 行きませんでした。

たけしさん
(まりさんの お兄さん)

2

私は 子どもの とき、1人で 本を 読むのが 好きでした。読んだ 本に ついて さくぶんを 書くのも 好きでした。よく 先生に 書いた さくぶんを ほめられました。ときどき 短い しょうせつも 書きました。はずかしいので、だれにも 見せませんでしたが、兄に 読まれて しまいました。でも、兄が おもしろいと 言ったので、うれしかったです。

まりさん

1. キャンプや つりに さそわれた 人は だれですか。 (b)
2. 両親に しかられた 人は だれですか。 (a)
3. しょうせつを 書いた 人は だれですか。 (b)
4. しょうせつを 読んだ 人は だれですか (a)
5. さくぶんを ほめた 人は だれですか。 (d)

a たけしさん
b まりさん
c 両親
d 先生

さくぶんワークシート 

年　　月　　日

だい：＿＿＿＿＿＿＿＿＿＿＿＿＿＿＿＿＿＿＿＿（　　　か）

名前：＿＿＿＿＿＿＿＿＿＿＿＿＿＿＿＿＿＿＿＿

テストとふりかえり 2（トピック 6-9） Test and Reflection 2（Topics 6-9）

この時間の 使いかたは「テストとふりかえり 1」（p101-p102）と おなじです。

This time will be spent in the same way as in Test and Reflection 1（p101-p102）.

1 テストの 問題れい Test example questions

1 聞いて ひらがなか カタカナで 書いて ください。
Listen and write in hiragana or katakana.

❶ ＿＿＿＿＿＿＿＿＿＿＿＿＿＿＿＿

❷ ＿＿＿＿＿＿＿＿＿＿＿＿＿＿＿＿

スクリプト
❶ まちを あんないします
❷ ピアノの コンテスト

2 かいわを 聞いて、子どもの ときの 女の人の イラストを 選んで ください。（　　）
Listen to the conversation and choose the picture of the lady's childhood.

a　b　c

スクリプト
A：のりかさんは、どんな 子どもでしたか。
B：そうですね。子どもの ときは、勉強が 大（だい）好きでした。学校でも うちでも よく 本を 読んだり 勉強したり しましたよ。
A：じゃあ、よく 先生に ほめられましたか。
B：そうですね。たぶん…、はい。

3 漢字（かんじ）の 読みかたを ひらがなで 書いて ください。
Write the kanji reading in hiragana.

❶ エアコンの 調子が 悪いです。　（　　　　　）（　　　　　）
❷ この アイロンは 軽いです。　（　　　　　）

4 ことばを 選んで、ただしい かたちを 書いて ください。
Choose the correct word, change its form and write it in the brackets.

❶ A：ここで 電話を かけても いいですか。
B：「けいたい電話禁止」と（　　　　　　　）ありますよ。
❷ A：何か エコ活動を していますか。
B：はい、スーパーで ふくろを（　　　　　　　）ように しています。
❸ A：この 神社は 古いんですか。
B：ええ、500年ぐらい前に（　　　　　　　）。

a もらいます
b たてます
c かきます

5（　　）に ただしい ことばを 書いて ください。
Write the correct word in the brackets.

❶ A：X モデルと Y モデル、どちらが 安いですか。
B：Y モデルの（　　　　　）が 安いです。
❷ A：この 人は だれですか。
B：有名な じょゆうです。さいきん 映画の しょうを もらった（　　　　　）ですよ。
❸ A：会議室の エアコン、ついた（　　　　　）ですよ。
B：すみません。今、けします。

a そう
b ほう
c ため
d まま

6 (　　) に ただしい じょし (に・の・で) を 書いて ください。
Write the correct particle (*ni*, *no* or *de*) in the brackets.

1 私は 父と 母と ３人 (　　) 京都に 行きました。

2 着なくなった きものを スカート (　　) しました。

3 この ふくろは ごみを 入れる (　　) (　　) 使います。

7 エドワードさんの ブログを 読んで、しつもんに こたえて ください。
Read Mr. Edward's blog and answer the questions.

> 今日、JF 博物館に 行きました。とても おもしろかったです。
> 来月 日本の たこの とくべつてんが あります。
> 英語の ほかに 日本語の ガイドツアーも あるそうです。無料ですが、もうしこみが 必要です。
> それから、毎月 15 日と 30 日に 歴史と 文化の セミナーが あります。とても 人気が あるそうです。
> もうしこみは 必要ありません。つぎの テーマは「日本の お茶と おかし」です。

≪しつもん≫ ただしいですか。(ただしい ○、ただしくない ×)
Is it correct? (○) Incorrect? (×)

1 ガイドツアーも セミナーも もうしこみが 必要です。　(　　)

2 セミナーは 月に ２回 あります。　(　　)

2 テストの せつめい Test explanation

テストの こたえを チェックしましょう。しつもんが あったら、先生に 聞きましょう。
Check the answers to the test. Ask the teacher if you have any questions.

3 テストの ふりかえり Test reflection

まちがえた もんだいを もう いちど 見てみましょう。
Look again at the questions you got wrong.

4 さくぶんの はっぴょう Discuss your compositions (sakubun)

だい 11 か、13 か、15 か、17 かの さくぶんについて グループで 話しましょう。
Speak in groups about your compositions from lessons 11, 13, 15 and 17.

友だちの さくぶんを 読んで、いろいろ しつもんしましょう。
Read your classmates' compositions and try to ask a lot of different questions.

じぶんの さくぶんの 日本語について 先生に しつもんしましょう。
Ask your teacher questions about the Japanese in your compositions.

問題れいの こたえ Answers to test example questions

1 1 まちを あんないします 1 ピアノの コンテスト　2 a　3 1 ちょうし わるい 2 かるい
4 1 c かいて 2 a もらわない 3 b たてられました　5 1 b ほう 2 a そう 3 d まま
6 1 で 2 に 3 の に　7 1 × 2 ○

ぶんぽうのまとめ Grammar Review

1 ていねいけい と ふつうけい (Polite form and Plain form)

	ていねいけい (polite form)				ふつうけい (plain form)	
	ひかこ (non-past)		かこ (past)		ひかこ (non-past)	
	こうてい (affirmative)	ひてい (negative)	こうてい (affirmative)	ひてい (negative)	こうてい (affirmative)	ひてい (negative)
どうし (Verb)	うたいます	うたいません	うたいました	うたいませんでした	うたう	うたわない
	たべます	たべません	たべました	たべませんでした	たべる	たべない
	します	しません	しました	しませんでした	する	しない
イけいようし (イ Adjective)	あついです	あつくないです	あつかったです	あつくなかったです	あつい	あつくない
	いいです	よくないです	よかったです	よくなかったです	いい	よくない
ナけいようし (ナ Adjective)	すきです	すきじゃないです	すきでした	すきじゃなかったです	すきだ	すきじゃない
	きれいです	きれいじゃないです	きれいでした	きれいじゃなかったです	きれいだ	きれいじゃない
めいし (Noun)	こどもです	こどもじゃないです	こどもでした	こどもじゃなかったです	こどもだ	こどもじゃない

もうひとつの ひていけい (この 本では つかいません。)
Another negative form (not used in this book)

- イ A- く/ナ A- じゃ/ N- じゃ ありません=イ A- く/ナ A- じゃ/ N- じゃ ないです
  あつくありません
  すきじゃありません
  こどもじゃありません
- イ A- く/ナ A- じゃ/ N- じゃ ありませんでした=イ A- く/ナ A- じゃ/ N- じゃ なかったです
  あつくありませんでした
  すきじゃありませんでした
  こどもじゃありませんでした

初級 2

- S (plain form) N (L1)
- S (plain form) のは N です (L3)
- S (plain form) ので、______(L3)
- S (plain form) し、______ (か L5, L6)
- S〔いつ/どこ/… (plain form)〕か、しっていますか/わかりますか (L8)
- V (plain form) ように ______(L10)
- V (plain form) ように ねがいます/いのります (L10)
- S (plain form) そうです (L14, L17)
- S (plain form) かもしれません (り L17)

初級 1

- S (plain form) ひと (L16)
- S (plain form) もの (L17)
- S (plain form) んです (L17)
- S (plain form) N (L17)
- S (plain form) と おもいます (L18)
- S (plain form) と いっていました (L18)

かこ (past)					
こうてい (affirmative)	ひてい (negative)				
うたった	うたわなかった				
たべた	たべなかった				
した	しなかった				
		□＋N	～て／で	～なくて／じゃなくて	□＋V
あつかった	あつくなかった	あつい	あつくて	あつくなくて	あつく
よかった	よくなかった	いい	よくて	よくなくて	よく
すきだった	すきじゃなかった	すきな	すきで	すきじゃなくて	すきに
きれいだった	きれいじゃなかった	きれいな	きれいで	きれいじゃなくて	きれいに
こどもだった	こどもじゃなかった	こどもの	こどもで	こどもじゃなくて	—

イA-く（りL2）
ナA-に（りL2）

L●　：かつどう（初級2）と りかい（初級2）の●か
Lesson in *Katsudoo* (Elementary2) and *Rikai* (Elementary2)
かL●：かつどう（初級2）だけ
Only in *Katsudoo* (Elementary2)
りL●：りかい（初級2）だけ
Only in *Rikai* (Elementary2)

2 どうしの かつよう（Conjugation of Verbs）

	Vます	V-ない ないけい (NAI-form)	V-（ら）れる うけみけい (Passive form)	Vます-ます ますけい (MASU-form)	V-る るけい／じしょけい (RU-form/dictionary form)
グループ1	うたいます	うたわない	うたわれる	うたい	うたう
	まちます	またない	またれる	まち	まつ
	とります	とらない	とられる	とり	とる
	あそびます	あそばない	あそばれる	あそび	あそぶ
	よみます	よまない	よまれる	よみ	よむ
	しにます	しなない	しなれる	しに	しぬ
	かきます	かかない	かかれる	かき	かく
	およぎます	およがない	およがれる	およぎ	およぐ
	はなします	はなさない	はなされる	はなし	はなす
	いきます	いかない	いかれる	いき	いく
	あります	ない	—	あり	ある
グループ2	みます	みない	みられる	み	みる
	たべます	たべない	たべられる	たべ	たべる
グループ3	します	しない	される	し	する
	きます	こない	こられる	き	くる
初級2		V1-ないで V2（L4、11） V-ない ほうが いいです（よ）（L5） V-なく なりました（L11, 16, りL18） V-ないように しています（L15）	NはV-（ら）れます（L13） AはBにV-（ら）れます（りL18） AはBにNをV-（ら）れます（りL18）	V-やすいです（L12） V-にくいです（L12）	V-ると、＿＿（L4） V-る とき、＿＿（L5） V1-るまで、V2（りL11, 17） V-る ために（L14） V-るように しています（L15） V-るのに いいです／つかいます／…（L15） V-るように なりました（L18）
初級1		V-ないでください（L15）		V-に いきます（L8） V-ませんか（L8） V-ましょう（L8） V-たいんですが…（かL8） V-かた（L9） V-たいです（L10） V-たくないです（りL10） V-ましょうか（L11） V-すぎます（りL13）	V-ること（L2） V-るのがAです（L9） V-るまえに（L15） V-ると いいです（L15）

L●　：かつどう（初級2）と りかい（初級2）の●か
Lesson in *Katsudoo* (Elementary2) and *Rikai* (Elementary2)
かL●：かつどう（初級2）だけ
Only in *Katsudoo* (Elementary2)
りL●：りかい（初級2）だけ
Only in *Rikai* (Elementary2)

V-(られ) る かのうけい (Potential form)	V-て てけい (TE-form)	V-た たけい (TA-form)	
うたえる	うたって	うたった	あいます、あらいます、つかいます
まてる	まって	まった	たちます、もちます
とれる	とって	とった	うります、かえります、つくります
あそべる	あそんで	あそんだ	よびます
よめる	よんで	よんだ	のみます、すみます
しねる	しんで	しんだ	—
かける	かいて	かいた	ききます、はたらきます、おきます
およげる	およいで	およいだ	いそぎます
はなせる	はなして	はなした	かします
いける	いって	いった	—
—	あって	あった	—
みられる	みて	みた	います、おきます、かります
たべられる	たべて	たべた	おしえます、ねます、いれます
できる	して	した	ほんやくします
こられる	きて	きた	もってきます

V-(られ) る	V-て	V-た
N が V-(られ) ます (L6, り L7) N が V-(られ) る人 (L7) V-(られ) て、よかったです (か L9) V-(られ) て、_____(り L9) V-(られ) なくて、_____(り L9) V-(られ) なく なりました (L16, り L18) V-(られ) るように なりました (L18)	V-ている N (L2) V1-てから、V2 (L4, 17) V-ちゃ/じゃ だめです (か L4) V-ては/ちゃ/じゃ いけません/だめです (り L4) V1-て V2 (L4) V-ていました (L9) V-て しまいました (L11) 〔いつ、何、どこ、だれ〕V-ても、(L13) V-てあります (り L14) V-ても いいですか (か L14)	V-た とき、_____(L5) V-た ほうが いいです (よ) (L5) V-たら、_____(L7, L16) V-たり して、_____(L10) V-たままです (L15)
	V-ています (L1) V-て ください (L6) V1-て、V2 (L6) V-て (reason) (L7) V-て くださいませんか (L9) V-てみます (り L10) V-てきます/いきます (L11) V-て ( ) 年/か月に なります (り L13) V-ても いいですか (L14)	V-たことが あります (L13) V1-たり、V2-たり しています (L16)

3 じょし (Particles)

ス：スクリプト

	れいぶん (example sentences)	か (lesson)
か	いしかわさんは 何人きょうだいですか。	1
が	パーティーに やまださんの 友だちが 来ています。	2
	私は 旅行が 好きです。	1
	すずきさんの お姉さんは かみが 長いです。	2
	ここで イルカの ショーが 見られます。	6
	フリオさんは 日本の 歌が 大好きですが、歌えません。	7
	野菜が 食べたいんですが、おすすめが ありますか。	3
から	先月から ダンスを ならっています。	1
	子どもは いしかわさんから ケーキを もらいました。	2
	空港から ホテルに モノレールで 行きました。	5
	買った くだものは 家まで 送れますから、便利です。	6
ぐらい	ダイビングの 道具を 買うと 10万円ぐらい します。	5
けど	この レストランは 小さいけど、おいしいです。	3
しか	今年は 休みが 3日しか ありませんでした。	9
ずつ	コーヒーと こうちゃ、2つずつ おねがいします。	3
だけ	休みは 3日だけでした。	9
で	本屋で 働いています。	1
	島から 船で 帰りました。	5
	沖縄（おきなわ）ガラスで コップを 作ります。	6
	かぜで パーティーに 行けなくて、ざんねんでした。	9
	今日は かぞく4人で 来ました。	13
でも	子どもでも かんたんに 作れます。	6
と	さいとうさんと 私は 学生の ときから 友だちです。	2
	やまださんの 友だちと はじめて 話しました。	2
	お姉さんは すずきさんと にています。	2
	とうふステーキに マヨネーズを つけて 食べると、おいしいです。	4
	ぼうしを 持っていった ほうが いいと 思います。	5
とか	ビーフステーキとか ローストチキンとか 洋食が 有名です。	3
など	おっとは ごはんや パスタなど、何にでも マヨネーズを かけます。	4
に	よく 本屋に 行きます。（＝よく 本屋へ 行きます。）	1
	妹は さいたまに います。	1
	あかちゃんは 4月に 生まれました。	1
	とうふに しょうゆを かけます。	4
	お客さんに イベントの 時間を 教えます。	8
	古い ネクタイを バッグに しました。	16
	姉に コートを かります。	2
	私は 母に しかられました。	18
	キムさんは あべさんたちと 食事に 行きます。	2
	1日に 3回 ガイドの あんないが あります。	6
ね	やさしそうな おくさんですね。	2
	コーヒーと こうちゃ、1つずつですね。	3
の	先週、パーティーで やまださんの 友だちに 会いました。	1
	新しい 本や ざっしを 見るのは 楽しいです。	1
	この 店で 有名なのは、肉料理です。	3
ので	今日は さむいので、あたたかい 料理が 食べたいです。	3
は	しゅみは 読書です。	1
	私は 肉や 魚は 食べません。	3
へ	こちらへ どうぞ。	14ス

	れいぶん（example sentences）	か（lesson）
まで	島まで 小さい ひこうきで 行きました。	5
	5月から 10月ごろまで 泳げます。	6
も	キムさんも いっしょに 行きます。	2
や	しゅくだいや やくそくを わすれません。	1
よ	安くて おいしい レストランを 知っていますよ。	2
より	A モデルより B モデルの ほうが 安いです。	12
を	人の 話を よく 聞きます。	1
	長い 時間 外を 歩かない ほうが いいです。	5
	船を おりた とき、ほっと しました。	5
（の）ために	成人の日は 20さいの 人のために お祝いを します。	10
（の）ための	しゅうしょくしてから、仕事のための 本も 読むようになりました。	18
として	金閣寺は とても うつくしい 寺として よく しられています。	13
なら	野菜なら、この サラダが いいですよ。	3
について	店員に 商品について いろいろ 聞きます。	11
によって	京都は 8世紀の 終わりに てんのうによって つくられました。	13

4 ぎもんし（Interrogatives）

	ぎもんし（interrogatives）	れいぶん（example sentences）	か（lesson）
ひと（person）	だれ	この人は だれですか。	17
もの（thing）	なん	さいきん 買った ものは 何ですか。	1
	なに	休みの 日に 何を していますか。	1
	どんな+めいし（noun）	あなたの 名前は どんな 意味ですか。	1
ばしょ（place）	どこ	今までに 行ったことが ある 国は どこですか。	1
とき（time）	なんじ	コンサートは 何時からですか。	8
	いつ	料理は いつ 来ますか。	4
ほうほう（means）	どうやって	どうやって 食べますか。	4
かず・りょう（number・quantity）	いくつ	おにぎりを いくつ 持っていきましょうか。	初級 1
	いくら	ガイドさんに 料金が いくらか ききます。	13
	なん～	何人きょうだいですか。	1
	どのぐらい／どのくらい	電子レンジが とどくまで、どのぐらい かかりましたか。	11
	なんにち	休みは 何日 ぐらいでしたか。	9
りゆう（reason）	どうして	どうして しかられましたか。	18
せんたく（choice）	どの	お姉さんは どの 人ですか。	2
	どちら	A モデルと B モデル、どちらが いいですか。	12
	どっち	A モデルと B モデル、どっちが 使いやすいですか。	12
かんそう・いけん（comment）	どう	韓国料理は どうですか。	2
		船は どうでしたか。	5
		お正月は どう していましたか。	9
		服が 着られなくなったら、どう しますか。	16
	いかが	このツアー、いかがですか。	6

5 しじし（Demonstratives）

	こ	そ	あ	ど
もの（thing）	これ	それ	あれ	どれ
ばしょ（place）	ここ	そこ	あそこ	どこ
+めいし（noun）	この N	その N	あの N	どの N

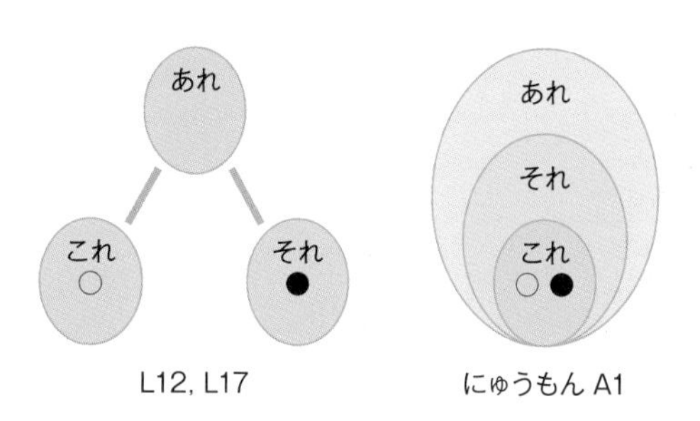

こたえとスクリプト Answers and Audio Scripts

◆ トピック 1　新しい 友だち

だい 1 か　いい 名前ですね　p22

❶ もじとことば

① こたえ ❶c ❷d ❸b ❹c

② こたえ ❶a ❷c ❸e ❹b

002 22-23 ページと おなじ。

③ こたえ ❶さんにんきょうだい ❷いま ほしい もの ❸ダンスの がっこう

003 こたえと おなじ。

④ こたえ ❶じこしょうかい　なまえ　いみ
❷いちばんめ
❸ちかく　すんでいます　ほんや
はたらいています

004 23 ページと おなじ。

❷ かいわとぶんぽう

① 005 24 ページと おなじ。

② こたえ

	❶	❷	❸	❹
①	a	b	a	c
②	しずか	バウムクーヘン	のぞみ	クアラルンプール
③	ア	エ	イ	ウ

006-009

❶ しずか：はじめまして。なかむらしずかです。
A　：しずかさん、ですか。
しずか：ええ、しずかな 人と いう いみです。でも、話すのが 好きで、しずかじゃないんですけど。
A　：そうですか。

❷ A　：あのう、しゅみは 何ですか。
B　：私の しゅみは おかしを 食べることです。
A　：へえ、おかしですか。
B　：ええ、先週 バウムクーヘンと いう ドイツの おかしを 食べました。
A　：バウム？
B　：バウムクーヘン。バウムクーヘンは きの ケーキと いう いみです。
A　：ああ、そうですか。

❸ A　：あのう、お子さんは。
B　：女の子が 1 人 います。のぞみと いう なまえです。
A　：のぞみちゃんですか。
B　：ええ、のぞみは 英語で ホープ (hope) と いう いみです。
A　：へえ、ホープ、いい なまえですね。

❹ A　：あのう、お国は？ どちらからですか。
B　：マレーシアの クアラルンプールから 来ました。
A　：ああ、みどりが きれいな 町ですね。行ったことが あります。
B　：そうですか。クアラルンプールは どろの 川と いう いみなんですよ。
A　：へえ、どろの 川、おもしろいですね。

③ こたえ

	❶	❷	❸	❹
①	b	a	d	c
②	JF じどうしゃ	さくら大学	かんだ (神田)	バンガロール

③ こたえ ❶JF じどうしゃ　かいしゃ
❷さくらだいがく　だいがく／がっこう
❸かんだ　ところ／まち
❹バンガロール　まち／ところ

010-013

❶ A　：たなかさん、お仕事は。
たなか：かいしゃいんです。JF じどうしゃと いう 会社で はたらいてます。
A　：JF じどうしゃですか。大きい 会社ですね。
たなか：ええ、まあ。

❷ A　：カーラさんは 学生ですか。
カーラ：はい、学生です。
A　：学校は どちらですか。
カーラ：さくら大学です。さくら大学で 日本語と 日本の れきしを 勉強してます。とても 楽しいです。
A　：そうですか。

❸ A　：のださんは、どこに すんでますか。
のだ　：かんだに すんでます。
A　：かんだですか。どんな ところですか。
のだ　：ほんやが たくさん あって、おもしろい 町ですよ。
A　：へえ、そうですか。

❹ A　：シンさん、しゅっしんは どこですか。
シン　：インドです。インドの バンガロールと いう とこ

ろです。
A　：バン？ すみません。
シン　：バンガロールです。大きくて にぎやかな 町ですよ。
A　：あ、そうですか。

014 25 ページと おなじ。

❸ かいわとぶんぽう

1 015 26 ページと おなじ。

2 ① こたえ ❶b ❷a ❸a ❹a ❺b

016 26-27 ページと おなじ。

② こたえ ❶a かいものする ❷d りょこうしたい ❸e にがてだった ❹b すんでいる

017-020
❶ A　：たなかさんの しゅみは 何ですか。
たなか：料理です。
A　：料理ですか。じゃあ、いい スーパーを しってますか。
たなか：はい。私は よく JF スーパーで 買い物します。何でも しんせんで 安いですよ。
A　：そうですか。私も こんど 行ってみます。
❷ A　：キムさん、こんどの 休み、どう しますか。
キム　：私は 旅行に 行きます。
A　：旅行ですか。どこに 行くんですか。
キム　：まだ わかりませんが、カナダに 行きたいです。スキー、したいんです。
A　：へえ、そうですか。
❸ A　：あべさん、好きな 食べ物は 何ですか。
あべ　：野菜です。くだものも よく 食べますよ。
A　：野菜は 何でも 食べますか。
あべ　：ええ、子どもの ときは、ピーマンが にがてでしたが、今は よく 食べてます。
A　：そうですか。
❹ A　：ワンさんは、今、どこに すんでいるんですか。
ワン　：会社の ちかくの アパートです。
A　：アパートは どうですか。
ワン　：とても 新しくて かいてきです。
A　：それは いいですね。

021 27 ページと おなじ。

❹ どっかい

こたえ c

022-025 28 ページと おなじ。

だい２か　めがねを かけている 人です　p30

❶ もじとことば

1 こたえ ❶a ❷d ❸e ❹b ❺a ❻c

026 30 ページと おなじ。

2 こたえ ❶b ❷a ❸e ❹c ❺d

3 こたえ ❶c ❷a ❸b ❹c

4 こたえ ❶ネックレス ❷しゅみが おなじです ❸（わたしは）ははと にています

027 こたえと おなじ。

5 こたえ ❶かぞく あに あね いもうと
❷ひくくて みじかい
❸おにいさん うた うたう
❹おねえさん ながい ❺おとうと じょうず

028 31 ページと おなじ。

❷ かいわとぶんぽう

1 029 32 ページと おなじ。

2 ① こたえ ❶d ❷b ❸a ❹c

030-033
❶ A：今日は すずきさんの おねえさんが 来ていますよ。
B：え、どの 人ですか。
A：あの、かみが ながい 人です。みどりの ふくを 着てる 人です。
B：ああ、すずきさんと にてますね。
❷ A：今日は なかむらさんの いもうとさんが 来てますよ。
B：え、どこですか。
A：ほら、あそこに たってる、かみが みじかい 女の子です。
B：ああ、わかりました。かわいい 子ですね。
❸ A：今日は ホセさんの むすこさんが 来てますよ。
B：え、どこですか。
A：あそこです。ちょっと 目が 大きい 男の子。ジュースを 持ってます。
B：ああ、ホセさんと にてますね。
❹ A：なかむらさんの おにいさんも 来てますね。
B：え、どの 人ですか。
A：あそこに いる、せが 高い 男の人、わらってる 人です。

B：あ、わかりました。あの 人ですね。

② こたえ ❶a ながいです ❷a みじかいです
❸c おおきい ❹b たかい

034 32ページと おなじ。

3① こたえ ❶たって ❷はいて ❸のんで ❹かぶって
❺わらって ❻はなして ❼あそんで
❽およいで

② こたえ dの人：アでは ネックレスを していますが、
イでは していません。
aの人：アでは ぼうしを かぶっていませんが、
イでは かぶっています。
bの人：アでは たっていますが、
イでは すわっています。
cの人：アでは わらっていますが、
イでは わらっていません。
eの人：アでは めがねを かけていますが、
イでは かけていません。

❸ かいわとぶんぽう

1 035 34ページと おなじ。

2① こたえ ❶b ❷a ❸b ❹a ❺b

036 34ページと おなじ。

② こたえ ❶a まじめそうです
❷d おもしろそうです
❸c やさしそうです
❹e あたまが よさそうです

037-040

❶A ：パクさん、あの人、パクさんの おとうとさんですか。
パク ：ええ、そうです。
A ：まじめそうな 人ですね。
パク ：ええ、とても まじめですよ。家でも 仕事や勉強、よく やってます。
A ：そうですか。

❷A ：あの人、カーラさんの 先生ですか。
カーラ：はい、そうです。
A ：おもしろそうな 先生ですね。
カーラ：でも、テストや しゅくだいが たくさん あって、きびしい 先生なんですよ。
A ：そうですか。たいへんですね。
カーラ：あ、でも、とても いい 先生ですよ。

❸A ：あの 男の子、ジョイさんの おまごさんですか。やさしそうですね。
ジョイ：ええ、とても やさしい 子です。毎週 メールを もらったり、電話で 話したり してます。
A ：そうですか。いいですね。

❹A ：あべさん、あべさんの いもうとさんは どこですか。
あべ ：ええと、あ、あそこで カーラさんと 話してますよ。めがねを かけてる 子です。
A ：中学生ですか。頭が よさそうですね。
あべ ：そうですか。あまり 勉強しないんですが。

041 35ページと おなじ。

3 こたえ ❶a たのしく ❷d みじかく ❸b きれいに
❹c しずかに ❺e たのしそうに

042 35ページと おなじ。

❹ どっかい

こたえ ❶○ ❷× ❸○ ❹× ❺○

043・044 36ページと おなじ。

◆ トピック2 店で 食べる

だい3か おすすめは 何ですか p38

❶ もじとことば

1 こたえ ❶c ❷a ❸b ❹d ❺f ❻e

2 こたえ ❶（ビ）ーフ（ス）（テ）ーキ b
❷シ（ー）（フ）ード（サ）ラ（ダ） d
❸（エ）ビ（フ）ラ（イ） a
❹ロ（ー）（ス）ト（チ）キ（ン） c

3 こたえ ❶a ❷c ❸e ❹d ❺b

045 39ページと おなじ。

4 こたえ ❶アレルギー ❷あたたかい スープ
❸くるまを うんてんします

046 こたえと おなじ。

5 こたえ ❶つめたい ちゅうもん なま ❷ちほう
❸ゆうめい わしょく きゃく
❹ようしょく ぎゅうにく

047 39 ページと おなじ。

❷ かいわとぶんぽう

1 048 40 ページと おなじ。

2 ① こたえ ❶a ❷d ❸c ❹b

049 40 ページと おなじ。

② こたえ ❶a ベジタリアンなので ❷c あるので
❸d たべたので ❹b おおいので

050-053
❶ A：この 店は、ステーキが おいしいですよ。
B：あ、私、ベジタリアンなんです。肉は ちょっと…。
A：そうですか。
❷ A：今の きせつは、えびや かいが とっても おいしいんですよ。
B：ええ、ざんねん。私、えびや かいは 食べられないんです。アレルギーが あって…。
A：そうなんですか。じゃあ、ほかの 料理に しましょう。
❸ A：今日は、何を 食べますか。おすし、てんぷら…。
B：そうですね。きょうは ようしょくが いいです。きのうの 夜、わしょくでしたから。
A：そうですか。じゃあ、ようしょくの レストランに 行きましょう。
❹ A：この 料理、おいしいですよ。おすすめです。
B：でも、ちょっと 多すぎますよ。2 人で 食べましょう。
A：そうですね。1 つ とって、いっしょに 食べましょう。

054 40 ページと おなじ。

3 ① こたえ ❶b ❷a ❸a ❹b

055 41 ページと おなじ。

② こたえ ❶にんきが あるの ❷おいしいの
❸のむの ❹すきなの

056 41 ページと おなじ。

❸ かいわとぶんぽう

1 057 42 ページと おなじ。

2 こたえ ❶a ❷c ❸d ❹b

058 42 ページと おなじ。

3 こたえ ❶と ずつ ❷と ❸と ずつ

059 43 ページと おなじ。

❹ どっかい

こたえ ❶e ❷f ❸b

060-062 44 ページと おなじ。

だい 4 か どうやって 食べますか p46

❶ もじとことば

1 こたえ ❶a ❷c ❸d ❹b

2 こたえ ❶b ❷c ❸a ❹d ❺e

063 46 ページと おなじ。

3 こたえ ❶d ❷e ❸b ❹f ❺a

064 47 ページと おなじ。

4 こたえ ❶しょくじの マナー ❷そのまま たべます
❸ちょっと すっぱいです

065 こたえと おなじ。

5 こたえ ❶ごはん ごはん ❷ぜんぶ
❸しお いれましょう
❹あつい にがて たべかた

066 47 ページと おなじ。

❷ かいわとぶんぽう

1 067 48 ページと おなじ。

2 ① こたえ ❶b ❷b ❸a ❹b

068 48 ページと おなじ。

② こたえ ❶a ❷d ❸c ❹b

069-072
❶ A　　：カーラさん、フランスでは どんな 食事の マナーが ありますか。
カーラ：そうですね。フランスでは、ううん…しずかに 食べます。
A　　：しずかに？
カーラ：はい。食事の とき、おとを たてません。

たとえば、スープは おとを たてて 飲んじゃ だめですよ。
A　：へえ、そうですか。むずかしそうですねえ。日本では だいじょうぶなんですが。

❷ A　：キムさん、韓国（かんこく）では どんな 食事の マナーが ありますか。
キム　：韓国では 食事の とき、ちゃわんを 持ちません。
A　：え、そうですか。ちゃわんを 持っちゃ だめなんですか。
キム　：ええ、だめです。
A　：日本と ちがいますねえ。日本は ちゃわんを 持ちます。おもしろいですね。

❸ A　：チョウさん、中国では どんな 食事の マナーが ありますか。
チョウ：そうですね。中国人は 料理を 少し のこします。
A　：え、中国では、料理を ぜんぶ 食べちゃ いけないんですか。
チョウ：だめです。少し のこすのが マナーです。「おなかが いっぱいです」と いう いみですよ。
A　：ああ、そうですか。

❹ A　：シンさん、インドでは どんな 食事の マナーが ありますか。
シン　：インドでは 食事の ときの 手は 右です。左手で 食べちゃ いけません。
A　：左手を 使っちゃ だめですか。
シン　：だめです。食事の ときは かならず 右手を 使って ください。
A　：はい。

③ こたえ ❶ a のんでは ❷ d もっては ❸ b たべては ❹ c つかっては

073 49 ページと おなじ。

3 こたえ ❶ d ちゅうもんしてから ❷ b きてから ❸ a いってから ❹ e まってから

074 49 ページと おなじ。

❸ かいわとぶんぽう

1 075 50 ページと おなじ。

2 こたえ ❶ a ❷ b ❸ a ❹ b

076 50 ページと おなじ。

3 こたえ ❶ b ❷ c ❸ e ❹ d ❺ a

077 51 ページと おなじ。

❹ どっかい

こたえ ❶× ❷× ❸○ ❹×

078-080 52 ページと おなじ。

◆ トピック３　沖縄旅行

だい５か　ぼうしを 持っていった ほうが いいですよ　p54

❶ もじとことば

1 こたえ ❶ a ❷ c ❸ d ❹ b ❺ e

2 こたえ ❶ c ❷ d ❸ a ❹ b

081 54 ページと おなじ。

3 こたえ ❶ a ❷ c ❸ b ❹ c ❺ b

4 こたえ ❶レンタカー ❷たいふうの シーズン ❸ふねが ゆれました

082 こたえと おなじ。

5 こたえ ❶き　しぜん ❷しま　うんてんしました ❸もり　よやくしました ❹りょこうちゅう　あつかったです ❺ふね　かえりました

083 55 ページと おなじ。

❷ かいわとぶんぽう

1 084 56 ページと おなじ。

2 ① こたえ ❶ a ❷ a ❸ b ❹ b ❺ a

085 56 ページと おなじ。

② こたえ ❶きていった ❷もっていった ❸かぶっていった　あるかない ❹はいていった ❺のみすぎない

086 57 ページと おなじ。

❸ かいわとぶんぽう

1 087 58 ページと おなじ。

②① こたえ ❶a ❷a ❸b ❹b

088-091

❶ ホセ　：かわいさん、沖縄（おきなわ）の 空港から ホテルまで どうやって 行きましたか。
かわい：モノレールです。空港から 町の 中まで モノレールが 走っているんです。モノレールからは けしきが 見えて いいですよ。

❷ ホセ　：ビーチには いきましたか。
かわい：はい、もちろん。
ホセ　：そうですか。ビーチから ホテルまで どうやって かえりましたか。
かわい：つかれたので、タクシーに しました。タクシーで かえって、すごく らくでした。りょうきんも あまり 高くないですよ。

❸ ホセ　：ツアーの バスは どうでしたか。
かわい：バスの 中で ガイドさんの せつめいを 聞いたんですが、とても おもしろかったです。沖縄の ことが よく わかりました。

❹ ホセ　：しままでは どうやって 行きましたか。
かわい：小さい ひこうきで 行きました。風が つよかったので、少し ゆれました。ちょっと こわかったです。ついた ときは ほっと しました。

092 58ページと おなじ。

② こたえ ❶のる ❷のっている ❸おりた ❹あるいている

093 59ページと おなじ。

③ こたえ ❶が は は も も ❷は は も も ❸が が

094-096 59ページと おなじ。

❹ どっかい

こたえ ❶b ❷c ❸d ❹a

097・098 60ページと おなじ。

だい6か　イルカの ショーが 見られます　p62

❶ もじとことば

① こたえ ❶a ❷d ❸e ❹c ❺b

② こたえ ❶d ❷c ❸c ❹b

③ こたえ ❶おすすめの ホテル
❷ツアーに さんかします
❸どうぐを レンタルします

099 こたえと おなじ。

④ こたえ ❶かんこうち　いちねんじゅう
❷だんせい　じょせい　❸りょうきん　むりょう
❹どうぶつ　くうき　❺あかるくて　べんりで

100 63ページと おなじ。

❷ かいわとぶんぽう

① 101 64ページと おなじ。

②① こたえ ❶b b ❷a b ❸a ❹b b

102-105

❶ A：あのう、何か 作る ツアーは ありますか。
B：それなら、この ツアーは いかがですか。沖縄（おきなわ）ガラスで コップが 作れますよ。
A：買い物も できますか。
B：はい。お店では 沖縄ガラスで 作った アクセサリーが 買えます。
A：へえ、沖縄ガラスですか。いい おみやげに なりますね。

❷ B：沖縄の しんせんな くだものを 食べる ツアーも 人気です。おみやげにも おすすめです。
A：でも、ツアーで 買った くだものは どうするんですか。持ってかえるんですか。
B：だいじょうぶです。買った くだものは 家まで 送れます。
A：それは べんりですね。

❸ B：この ツアーも 人気が ありますよ。じてんしゃタクシーに 乗って 町の 中を かんこうする ツアーです。
A：じてんしゃタクシーですか。おもしろそうですね。

❹ A：あのう、沖縄では いつごろまで 泳げるんですか。
B：5月から 10月ごろまで 泳げます。11月に 泳ぐ 人も います。あ、それから ダイビングは 一年じゅう できますよ。
A：そうですか。

106 64-65ページと おなじ。

② こたえ ❶みられます　きけます
❷できます　たべられます
❸とれます　たのしめます
❹およげます　あえます

107 65ページと おなじ。

❸ かいわとぶんぽう

1 108 66 ページと おなじ。

2 ① こたえ ❶かんこうした あそんだ ❷みた あった ❸おいしい ヘルシーだ ❹ひろくて あかるい みえた

109-112 66-67 ページと おなじ。

② こたえ ❶a ❷f ❸c ❹e ❺d ❻b

113 67 ページと おなじ。

❹ どっかい

こたえ ❶b ❷a ❸c

114-116 68 ページと おなじ。

◆ トピック４ 日本祭

だい７か 雨が ふったら、どう しますか p70

❶ もじとことば

1 こたえ ❶a ❷d ❸b ❹c

2 こたえ ❶b ❷a ❸d ❹c ❺e

117 70 ページと おなじ。

3 こたえ ❶b ❷a ❸b ❹a

118 71 ページと おなじ。

4 こたえ ❶ビデオカメラ ❷ボランティアの しごと ❸すぐに れんらくして ください

119 こたえと おなじ。

5 こたえ ❶はじまって おわります ❷あつまります ❸うけつけ おなじ もんだい ❹ひろば おしえます ちゅうしします

120 71 ページと おなじ。

❷ かいわとぶんぽう

1 121 72 ページと おなじ。

2 ① こたえ ❶うたえます ❷つかいます ❸はなします ❹よめます ❺おどれます ❻おしえられます

② こたえ ❶○ ❷× ❸○ ❹×

122-125

❶ のりか：フリオさんは スタッフや おきゃくさんの なまえが カタカナで 書けますか。
フリオ：はい、カタカナは だいじょうぶです。書けると思います。

❷ のりか：フリオさんは 日本の うたが うたえますか。
フリオ：日本の うたは 大好きで、よく 聞きます。でも、自分では うたえません。むずかしいですから。

❸ のりか：ロザナさん、うけつけの 仕事、お願いできませんか。
ロザナ：はい、わかりました。去年も うけつけの 仕事をしましたから、できると 思います。

❹ のりか：ロザナさん、コンピューターで 日本語の はりがみが 作れますか。
ロザナ：うーん、作ったことが ありませんから、わかりません。むずかしいです。すみません。

③ こたえ ❶かけます ❷うたえません ❸できます ❹つくれません

126 73 ページと おなじ。

❸ かいわとぶんぽう

1 127 74 ページと おなじ。

2 ① こたえ ❶a ❷c ❸d ❹e ❺b

128 74 ページと おなじ。

② こたえ ❶あったら ❷ひつようだったら ❸いそがしかったら ❹つかれたら ❺わるく なったら

129-133 75 ページと おなじ。

❹ どっかい

こたえ ❶○ ❷× ❸○ ❹× ❺○

134-137 76 ページと おなじ。

だい８か　コンサートは もう 始まりましたか　p78

❶ もじとことば

1 こたえ　❶a　❷c　❸d　❹b

2 こたえ　❶イベ（ン）トプロ（グ）ラ（ム）
❷カラ（オ）ケコ（ン）テ（ス）ト
❸（ボ）ラン（ティ）アスタッ（フ）
❹デモ（ン）ス（ト）レー（ショ）ン

3 こたえ　❶a　❷d　❸e　❹c　❺b

138　79 ページと おなじ。

4 こたえ　❶コンサートの じゅんび
❷マンガ／まんがを かきます
❸ひとが おおいです

139　こたえと おなじ。

5 こたえ　❶さんかしゃ　しっています
❷にほんまつり　にゅうじょうりょう
きめましょう　❸かいじょう　いそいで

140　79 ページと おなじ。

❷ かいわとぶんぽう

1 141　80 ページと おなじ。

2 ① こたえ　❶○　❷×　❸○　❹×

142-145
❶ A：かいじょうの じゅんび、もう おわりましたか。
B：はい、もう おわりました。だいじょうぶです。
❷ A：うけつけの じゅんび、もう できましたか。
B：すみません。まだ できていません。もう少し 待ってください。
A：わかりました。いそいで くださいね。
❸ A：あと 30 分で カラオケコンテストが はじまります。コンテストの さんかしゃ、もう みんな 来ましたか。
B：はい。もう みんな 来ました。じゅんび OK です。
❹ A：マンガきょうしつで 使う どうぐは、もう ぜんぶ 持ってきましたか。
B：あ、まだ 持ってきてません。今、とりに 行きます。
A：お願いします。あ、どうぐは じむしつですよ。

② こたえ　❶もう　a おわりました
❷まだ　d できていません
❸もう　b きました
❹まだ　c もってきていません

146　80-81 ページと おなじ。

3 ① こたえ　❶×　❷○　❸×　❹○

147-150
❶ A　　：すみません。J ポップコンサート、まだ やってますか。
うけつけ：J ポップコンサートですか。すみません、おわりました。でも、あさっても おなじ 時間に ありますよ。
A　　：そうですか。じゃあ、あさって また 来ます。
❷ A　　：すみません。からてデモンストレーション、まだ やってますか。
うけつけ：はい、まだ やってますよ。3 時まで やってます。
A　　：よかった！
うけつけ：うしろの いりぐちから しずかに 入って ください。
❸ A　　：あのう、マンガきょうしつ、まだ さんかできますか。
うけつけ：すみません。もう いっぱいなので、さんかできません。
A　　：そうですか。ざんねん。
❹ A　　：あの、日本まつりの ペン、まだ ありますか。
うけつけ：はい、ありますよ。どうぞ。
A　　：わあ、よかった！ありがとう。

② こたえ　❶もう　a おわりました
❷まだ　d やっています
❸もう　c さんかできません
❹まだ　b あります

151　81 ページと おなじ。

❸ かいわとぶんぽう

1 152　82 ページと おなじ。

2 ① こたえ　❶c おわるか　❷a かくか
❸e ひつようか　❹b やるか
❺d もらえるか

153　82 ページと おなじ。

② こたえ　❶c　a　b　❷b　c　a
❸c　b　a　❹a　c　b

154 83ページと おなじ。

❹ どっかい

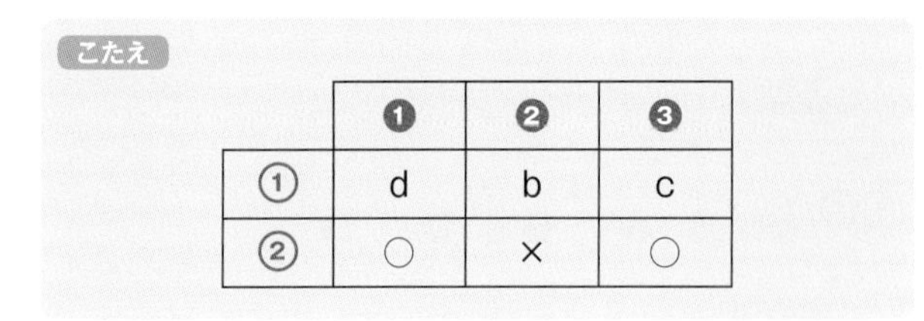

こたえ

	❶	❷	❸
①	d	b	c
②	○	×	○

155-157 84ページと おなじ。

◆ トピック5　特別な 日

だい9か　お正月は どう していましたか　p86

❶ もじとことば

1 こたえ ❶b ❷c ❸e ❹d ❺a

158 86ページと おなじ。

2 こたえ ❶c ❷b ❸b ❹c ❺b

159 86-87ページと おなじ。

3 こたえ ❶あけまして おめでとう（ございます）
❷ことしも よろしく（おねがいします）
❸よい としを（おむかえください）

160 こたえと おなじ。

4 こたえ ❶ねんまつねんし
❷しょうがつ　きこく　おや　よろこぶ
❸とくべつな　いそがしくて

161 87ページと おなじ。

❷ かいわとぶんぽう

1 162 88ページと おなじ。

2 こたえ ❶c べんきょうしていました
❷b はたらいていました
❸a てつだっていました ❹f きていた
❺e かえっていました ❻d いっていました

163 88ページと おなじ。

3① こたえ ❶a ❷b ❸a ❹a ❺b

164 89ページと おなじ。

② こたえ ホセさん ❶a ❷d
カルメンさん ❸b ❹f
きやまさん ❺e ❻c

165-167

❶ きやま　：ホセさん、メキシコに かえって、どうでしたか。
ホセ　：ひさしぶりに かぞくと ゆっくり 話せて、ほんとうに よかったです。
きやま　：そうですか。
ホセ　：はい。そして、母の 料理が 食べられて、よかったです。

❷ きやま　：カルメンさんは？
カルメン：私は 何も しないで すごせて、らくでした。それから、りょうしんに 子どもの かおを 見せられて、よかったです。りょうしんも よろこんでました。
きやま　：それは よかったですね。

❸ ホセ　：きやまさんは どう していましたか。
きやま　：私も かえってたんですよ。でも、大雪で どこにも 行けなくて、たいくつでした。古い 友だちにも 会えなくて、ざんねんでした。
ホセ　：へえ、たいへんでしたね。

③ こたえ ❶c はなせて ❷a たべられて
❸e すごせて ❹b みせられて
❺f いけなくて ❻d あえなくて

168 90ページと おなじ。

❸ かいわとぶんぽう

1 169・170 90ページと おなじ。

2① こたえ ❶a ❷b ❸b ❹a ❺b　a

171 91ページと おなじ。

❹ どっかい

こたえ ❶× ❷○ ❸× ❹○ ❺○

172 92ページと おなじ。

だい 10 か　いい ことが ありますように　p94

❶ もじと ことば

1 こたえ ❶a　し（あ）（わ）（せ）
❷e　（せ）（い）ちょ（う）
❸b　（け）（ん）（こ）う
❹c　（な）が（い）（き）
❺d　ご（う）（か）（く）

2 こたえ ❶b　❷e　❸d　❹c　❺a

173　94 ページと おなじ。

3 こたえ ❶a　❷b／c　❸a　❹c

174　95 ページと おなじ。

4 こたえ ❶かぞくの しあわせ　❷きれいな かざり
❸イベントが あります

175　こたえと おなじ。

5 こたえ ❶せいちょう　しあわせ
❷ねがいごと　しけん　ごうかく　ながいき
❸し　おとな　せいじんしき

176　95 ページと おなじ。

❷ かいわと ぶんぽう

1 177　96 ページと おなじ。

2 こたえ ❶a　❷c　❸b　❹d

178　96 ページと おなじ。

3 ① こたえ ❶b　❷c　❸d　❹a

179-182

❶ Q：今日は、おめでとうございます。
A：ありがとうございます。
Q：しょうらいの ゆめは 何ですか。
A：私は しょうらい 外国に 行って はたらきたいです。
Q：わあ、いいですね。
A：だから、今、外国に 行って こまらないように、英語を ならってます。
Q：そうですか。がんばって ください。

❷ Q：おめでとうございます。しょうらいの ゆめは 何ですか。
B：ぼくは いけばなを おしえたいと 思っています。
Q：へえ、いけばなの 先生ですか。
B：はい。はやく 先生に なれるように、毎日 れんしゅうしてます。
Q：そうですか。

❸ Q：あなたの ゆめは 何ですか。
C：私は 体が よわいので、もっと けんこうに なりたいです。
Q：そうですか。今、何か していますか。
C：はい。びょうきに ならないように、食事に 気を つけてます。
Q：それは たいせつですね。

❹ Q：あなたの ゆめを おしえて ください。
D：私は 結婚して、あたたかい かていを 持ちたいです。
Q：そうですか。すてきな ゆめですね。
D：はい。だから、すてきな 人と であえるように、毎週 パーティーに さんかしてます。
Q：がんばって ください。

② こたえ ❶c こまらない　❷b なれる
❸d ならない　❹a であえる

183　97 ページと おなじ。

❸ かいわと ぶんぽう

1 184　98 ページと おなじ。

2 こたえ ❶c おったり　❷b きったり
❸a うたったり　❹d かいたり

185　98 ページと おなじ。

3 こたえ ❶a なるように　❷d かえれるように
❸f おこらないように　❹b よく なるように
❺c うまく いくように　❻e しないように

186　99 ページと おなじ。

❹ どっかい

こたえ ❶a　❷c

187・188　100 ページと おなじ。

◆ トピック６　ネットショッピング

だい 11 か　そうじ機が こわれて しまったんです　p104

❶ もじとことば

1 こたえ ❶a ❷g ❸e ❹f ❺c ❻d ❼b ❽h

2 こたえ ❶a e h ❷c f ❸b g

3 こたえ ❶a ❷d ❸b ❹e ❺c

4 こたえ ❶インターネット ❷クレジットカード ❸エアコンが こわれました

189 こたえと おなじ。

5 こたえ ❶でんきせいひん　ちょうしが わるい ❷でんしレンジ　そうじき　うごきません　おとが でません ❸てんいん　しょうひん　かんがえて

190 105 ページと おなじ。

❷ かいわとぶんぽう

1 191 106 ページと おなじ。

2 ① こたえ ❶あかない ❷あかなく なりました ❸つかない ❹つかなく なりました ❺でない ❻でなく なりました

② こたえ ❶a うごかなく なりました ❷d つかなく なりました ❸c あかなく なりました ❹b でなく なりました

192 107 ページと おなじ。

3 こたえ ❶e こわれて しまった ❷b わるく なって しまいました ❸c うごかなく なって しまった ／e こわれて しまった ❹d おとして しまって ❺a でなく なって しまいました

193 107 ページと おなじ。

❸ かいわとぶんぽう

1 194 108 ページと おなじ。

2 ① こたえ ❶○ ❷× ❸○ ❹×

195-198

❶ Q：あのう、すみません。ネットショッピングを よく しますか。
A：はい、よく します。店に 行かないで 買い物できますから。
Q：そうですか。
A：いそがしい 私には とても べんりです。

❷ Q：あのう、ネットショッピング、よく しますか。
B：いいえ、ぜんぜん しません。
Q：そうですか。
B：買い物は 店で よく 見て 買うのが 楽しいんですよ。

❸ Q：あのう、すみません。インターネットで よく 買い物しますか。
C：ええ、多いです。インターネットでは ねだんや 使いかたを 見て、よく 考えて きめられますから。ユーザーコメントも よく 読みますよ。
Q：そうですか。

❹ Q：あのう、インターネットで よく 買い物しますか。
D：いいえ、したこと、ありません。
Q：どうしてですか。
D：クレジットカードを 使うのが しんぱいなんですよ。

② こたえ ❶b ❷a ❸a ❹a

199 108 ページと おなじ。

③ こたえ ❶c きかないで ❷a みないで ❸d きに しないで ❹b いかないで

200 109 ページと おなじ。

3 こたえ ❶とどく　a ❷きめる　d ❸こわれる　b ❹かう　c

201 109 ページと おなじ。

❹ どっかい

こたえ ❶90 (%) ❷6 (%) ❸安い ❹しょうひんを 見ないで 買うのは しんぱい

202 110 ページと おなじ。

だい 12 か　こっちの 方が 安いです　p112

❶ もじとことば

1 ①　こたえ　❶a　❷d　❸e　❹c　❺b

②　こたえ　❶a　❷d　❸c　❹b　❺e

2　こたえ　❶c　❷a　❸e　❹b　❺d

3　こたえ　❶サイズが ちいさい　❷おもすぎます
❸きに いりました

203　こたえと おなじ。

4　こたえ　❶おもい　かるい　こっちのほう
❷にほんせい　あらう　しずか　きのう
❸はやく　しょうエネ　まんぞくしています

204　113 ページと おなじ。

❷ かいわとぶんぽう

1 205　114 ページと おなじ。

2 ①　こたえ　❶つかいやすい　❷わかりにくくて
❸そうじしやすくて　❹とりだしやすい
❺こわれにくい

206　114 ページと おなじ。

②　こたえ　❶a　c　b　❷b　c　a　❸b　a　c

207-209　115 ページと おなじ。

❸ かいわとぶんぽう

1 210　116 ページと おなじ。

2 ①　こたえ　❶A　B　❷B　A　❸A　A　❹B　B

211　117 ページと おなじ。

②
212-215
❶ A：新しい そうじきは どちらが いいですか。
B：どっちが かるいですか。
A：A モデルは 3.5（さんてんご）キロで、B モデルは 5 キロです。あ、A の ほうが かるいですね。
B：じゃあ、A モデルが よさそうですね。
❷ A：新しい れいぞうこは どちらが いいですか。
B：どっちが しょうエネですか。
A：しょうひでんりょくは、A モデルが 300 で、B モデルが 250 ですから、B の ほうが しょうエネです。
B：そうですか。
❸ A：新しい せんぷうき、どっちが いいですか。
B：デザインは どっちが いいですか。
A：A モデルは むかしから ある デザインですね。B モデルの ほうが おしゃれだと 思います。カラーも いいし。
B：ううん、B が よさそうですね。
❹ A：新しい でんしレンジ、どちらが いいですか。
B：どっちが 使いやすいと 思いますか。
A：ううん、B モデルは 使いかたが ふくざつで、使いにくそうですよ。
B：じゃあ、A モデルの ほうが いいですね。A は、使いかたが かんたんそうです。

③　こたえ　❶a　❷d　❸c　❹b

216　117 ページと おなじ。

❹ どっかい

こたえ　❶d　❷c　❸b

217-219　118 ページと おなじ。

◆ トピック 7　歴史と 文化の 町

だい 13 か　この お寺は 14 世紀に たてられました　p120

❶ もじとことば

1　こたえ　❶a　❷d　❸c　❹b　❺e

2　こたえ　❶e　❷c　❸a　❹b　❺d

220　120 ページと おなじ。

3　こたえ　❶a　❷c　❸d　❹b

221　121 ページと おなじ。

4　こたえ　❶せかいいさん　❷うつくしい たてもの
❸はじめて きました

222　こたえと おなじ。

5 こたえ ❶きょうと　ぶっきょう　おてら　じんじゃ
❷れきしてき　せかい
❸ちゅうしん　はっせいき

223 121ページと おなじ。

❷ かいわとぶんぽう

1 224 122ページと おなじ。

2 こたえ ❶a ❷d ❸c ❹b

225 122ページと おなじ。

3 ① こたえ

	❶	❷	❸	❹
(1)	1回目	3回目	4回目	2回目
(2)	d	c	b	a

226-229
❶ Q　：あのう、すみません。京都（きょうと）は はじめてですか。
ホセ　：ええ。はじめてです。すごく 楽しみに して きました。
Q　：みなさん、ごかぞくですか。
ホセ　：はい。かぞく4人で 来ました。つまと むすことむすめです。
Q　：そうですか。ゆっくり 楽しんで くださいね。
❷ Q　：あのう、京都は はじめてですか。
ジョイ：私は 3回目です。今日は、さくらを 見たくて、来ました。
Q　：3人は ごきょうだいですか。
ジョイ：にてますか？ 私たち 友だち 3人ですよ。
❸ Q　：すみません。京都は 何回目ですか。
やまだ：京都に 来たのは 4回目です。中学生の ときと、高校生の ときに、学校の 旅行で 来ました。それから、大学生の ときにも、友だちと 来ました。
Q　：今回で 4回目ですか。それは、ありがとうございます。
やまだ：京都、大好きですから。今回は 母と 2人です。
Q　：そうですか。お母さんと 京都を 楽しんでください。
❹ Q　：すみません。京都は はじめてですか。
パウロ：2回目です。前は おばあちゃんと 2人で 来ました。今回は 1人です。
Q　：そうですか。1人で かんこうですか。
パウロ：かんこうも しますが、友だちが 京都の 大学に 留学しているので、会いに 来たんです。
Q　：そうですか。それは 楽しみですね。

② こたえ ❶で ❷と　で ❸と ❹と　で

230 123ページと おなじ。

❸ かいわとぶんぽう

1 231 124ページと おなじ。

2 ① こたえ ❶b ❷b ❸b ❹a ❺a

232 125ページと おなじ。

② こたえ ❶たてられました ❷つくられました
❸つかわれています ❹しられています
❺とうろくされています

233 125ページと おなじ。

❹ どっかい

こたえ ❶a ❷d ❸e ❹b

234 126ページと おなじ。

だい14か　この 絵は とても 有名だそうです　p128

❶ もじとことば

1 こたえ ❶a ❷d ❸e ❹b ❺c

2 こたえ ❶a ❷b ❸d ❹e ❺c

235 128ページと おなじ。

3 こたえ ❶d ❷e ❸b ❹c ❺a

4 こたえ ❶インドの ふるい がっき
❷むりょうの ロッカー
❸わかりやすい カレンダー

236 こたえと おなじ。

5 こたえ ❶はくぶつかん　いんしょくきんし
❷にかい　どうぐ ❸せつめい　ひつよう

237 129ページと おなじ。

❷ かいわとぶんぽう

1 238 130ページと おなじ。

2 ① こたえ ❶つくられたそうです
❷わからないそうです
❸あったそうです　はこばれたそうです
❹どうぐだそうです

239 130 ページと おなじ。

② こたえ ❶a ❷d ❸c ❹b

240-243

❶ ガイド：こちらを ごらんください。これは 16 せいきごろに 作られた きものです。えー、ぶしの おくさんが まつりの とき、着ました。
カーラ：へえ、ぶしの おくさんの きものですか。きれいですね。私も 着てみたいです。

❷ ガイド：これは 7 せいきごろ 中国から 日本に 来ました。インドの 古い がっきと にています。
シン　：インドですか。じゃあ、インドから 中国に 行って、それから 日本に 来たんですか。
ガイド：たぶん そうですね。

❸ ガイド：つぎに こちらへ どうぞ。これは むかしの お金です。200 年ぐらい前に 使われていました。
シン　：へえ、200 年前の お金。1 まい いくらぐらいですか。
ガイド：今の お金で 10 万円ぐらいです。

❹ ガイド：これは 坂本龍馬（さかもとりょうま）と いう ゆうめいな 人の てがみです。龍馬が おねえさんに 書いた ものです。
カーラ：へえ、どんな てがみですか。
ガイド：結婚して おくさんと 旅行して、楽しかったと 書いていますよ。

③ こたえ ❶きたそうです ❷にているそうです
❸つかわれていたそうです
❹てがみだそうです

244 131 ページと おなじ。

❸ かいわとぶんぽう

1 245 131 ページと おなじ。

2 ① こたえ ❶a ❷c ❸e ❹d ❺b

246 132 ページと おなじ。

② こたえ ❶b ❷c ❸a ❹d

247-250

❶ A　　：私は この はくぶつかんが 大好きで、月に 2、3 回 来るんです。でも、りょうきん、ちょっと高いですね。
スタッフ：では、「年間パスポート」は いかがですか。3000 円で 1 年間 ずっと 使えます。
A　　：え、3000 円で？ それは 安いですね。じゃあ、これから「年間パスポート」を 買います。

❷ B　　：私も この はくぶつかんに もっと 来たいんですが、あまり 時間が ないんです。みじかい 時間でも 見れたら いいんですが。
スタッフ：それなら、いそがしい 人の ために「今月の おすすめコース」が ありますよ。30 分で ゆうめいな てんじひんが 見られます。
B　　：30 分で？ いいですね。「今月の おすすめコース」、おしえてください。

❸ C　　：この はくぶつかんに ある ものは とても おもしろいので、もっと くわしく しりたいんですが。
スタッフ：はい。はくぶつかんの 中に「デジタルとしょかん」と いう コンピューターが あります。1 かいと 2 かいに 3 だいずつ あって、何でも かんたんに しらべられますよ。
C　　：「デジタルとしょかん」ですか。べんりそうですね。
スタッフ：はい。ぜひ 使ってみて ください。

❹ D　　：私は よく 子どもと いっしょに はくぶつかんに 来るんですが、子どもは まだ かんじが 読めないし、つまらないと 言ってるんです。
スタッフ：それなら「はじめての はくぶつかん」と いう パンフレットが あります。子どもの ために 絵と ひらがなで 書かれていて 楽しいし、わかりやすいですよ。うけつけに あります。
D　　：そうですか。じゃあ、つぎは「はじめての はくぶつかん」、もらいます。聞いて よかった。

③ こたえ ❶b くる ❷a みる ❸d しらべる
❹c よめない

251 133 ページと おなじ。

3 こたえ ❶a ❷a ❸a ❹b

252 133 ページと おなじ。

❹ どっかい

こたえ ❶○ ❷× ❸○ ❹× ❺○

253 134 ページと おなじ。

◆ トピック 8　せいかつと エコ

だい 15 か　電気が ついたままですよ　p136

❶ もじとことば

1 こたえ ❶d ❷f ❸e ❹b ❺c ❻a

2 こたえ ❶a ❷b ❸c ❹d

254 136 ページと おなじ。

3 こたえ ❶b ❷a ❸d ❹c

4 こたえ ❶へやの ドア ❷でんきの スイッチ
❸きを つけます

255 こたえと おなじ。

5 こたえ ❶かつどう　100（ひゃく）てん ❷かみ
❸かいぎしつ　おんど　28（にじゅうはち）ど
さむい　20（にじゅう）ど
❹あぶら ❺だしません

256 137 ページと おなじ。

❷ かいわとぶんぽう

1 257 138 ページと おなじ。

2 ① こたえ ❶a ❷c ❸b ❹d

258 138 ページと おなじ。

② こたえ ❶c ついたまま ❷d はいったまま
❸b きたまま ❹a だしたまま
❺e あいたまま

259 139 ページと おなじ。

❸ かいわとぶんぽう

1 260 140 ページと おなじ。

2 ① こたえ ❶a ❷b ❸d ❹c

261-264
❶ A　：カルメンさんは 何か エコかつどうを していますか。
カルメン：私は だいどころで 使う 水を へらすように してますよ。
A　：え、どうやって？
カルメン：さいきん、しょくせんきを 使ってるんです。
A　：なるほど。それは 水を へらすのに やくに たちますね。
❷ A　：ヤンさんは 何か エコかつどう、してますか。
ヤン　：はい。くうきを よごさないように しています。
A　：え、どうやって？
ヤン　：私、さいきん、電気じどうしゃを 買ったんです。
A　：そうですか。乗ってみたいです。
ヤン　：いつでも、どうぞ。
❸ A　：かわいさん、エコかつどう、何か してますか。
かわい：ええ、買い物の とき 買いすぎないように してます。
A　：どうやって？
かわい：ひつような ものを メモに 書いてから 買い物に 行くんです。
A　：なるほど。食べ物を むだに するのは もったいないですからね。
❹ A　：くのさんは 何か エコかつどうを してますか。
くの　：ううん、とくに 何も してません。あ、でも 会社では ごみを わけて すてるように してますよ。
A　：ああ、リサイクルですね。
くの　：ええ。リサイクルは ごみを へらすのに いいですよ。

② こたえ ❶b へらす ❷d よごさない
❸c かいすぎない ❹a すてる

265 141 ページと おなじ。

3 こたえ ❶c つくる ❷a さげる ❸b いれる
❹d へらす

266 141 ページと おなじ。

❹ どっかい

267 142 ページと おなじ。

だい 16 か　フリーマーケットで 売ります　p144

❶ もじとことば

1 こたえ ❶a ❷c ❸d ❹b

2 こたえ ❶b ❷c ❸a ❹d ❺e

3 こたえ ❶a ❷b ❸c ❹b

268 145 ページと おなじ。

4 こたえ ❶トイレットペーパー ❷きられない ふく
❸いらない ものを すてます

269 こたえと おなじ。

5 こたえ ❶こどもよう　じてんしゃ　うりました
❷じどうしゃ　かえし ❸かします
❹ふく　かわった

270 145 ページと おなじ。

❷ かいわとぶんぽう

1 271 146 ページと おなじ。

2 ① こたえ ❶はける ❷はけない
❸はけなく なりました ❹よめる
❺よめない ❻よめなく なりました

② こたえ ❶a ❷a ❸a ❹b ❺a

272 146-147 ページと おなじ。

3 ① こたえ ❶a ❷d ❸c ❹b

273-276

❶ A：あのう、あなが あいて くつしたが はけなく なったら、どうしますか。
B：あなが あいたら、もったいないけど、すてますよ。
A：そうですか。
B：ええ。リサイクルとか かんがえるのが めんどうなので、すてます。

❷ A：電気せいひんが こわれたら、どうしますか。
B：私は しゅうりして、使います。
A：でも、買った ほうが 安い ときも ありますよ。
B：それは そうですが、私は しゅうりして ながく 使いたいんです。

❸ A：タオルが よごれて 使えなく なったら、どうしますか。
B：すてるのが もったいないので、そうじの ときに 使います。
A：そうじに 使うんですか。いい かんがえですね。

❹ A：スーツケースが ひつようになったら、どうしますか。
B：私は レンタルショップで 借りますよ。
A：レンタルショップですか。
B：ええ。サイズが いろいろ あるので、えらべて べんりですよ。

② こたえ ❶d はけなく なったら ❷a こわれたら
❸c つかえなく なったら
❹b ひつように なったら

277 147 ページと おなじ。

❸ かいわとぶんぽう

1 278 148 ページと おなじ。

2 ① こたえ ❶○ ❷○ ❸× ❹○

279

パク　：ゆうこさん、その バッグ、おもしろいですね。
ゆうこ：これ、着なくなった きものを バッグに したんですよ。
パク　：へえ、この バッグ、前は きものだったんですか。
ゆうこ：ええ。この スカーフも そうですよ。
パク　：ああ、この スカーフは わかります。じゃあ、この ぼうしも そうですか。
ゆうこ：いいえ、それは ちがいます。買った ものですよ。
パク　：そうですか。しつれいしました。
ゆうこ：でも、これは そうです。きものを かさに したんです。
パク　：へえ、きものを かさに したんですか。それは すごいですね。

② こたえ ❶d　a　を　c　に　b
❷c　b　を　a　に　d
❸b　d　を　c　に　a
❹c　a　を　b　に　d

280 148-149 ページと おなじ。

3 ① こたえ ❶× ❷○ ❸○ ❹×

② こたえ ・ネクタイが バッグに なりました。
・しんぶんしが トイレットペーパーに なりました。

❹ どっかい

こたえ b

281-284 150 ページと おなじ。

◆トピック９　人生

だい 17 か　この人、知っていますか　p152

❶ もじとことば

1 こたえ ❶g ❷a ❸c ❹b ❺d ❻f ❼e

② こたえ ❶a ❷c ❸e ❹d ❺b

285 152-153 ページと おなじ。

③ こたえ ❶a ❷b ❸b ❹a

286 153 ページと おなじ。

④ こたえ ❶ゆうめいな せいじか
❷オリンピックの きんメダル
❸きょうみを もちます

287 こたえと おなじ。

⑤ こたえ ❶わかい　せんしゅ
❷うまれました　がか　かしゅ
❸さっか　じんせい
❹にゅうがく　びょうき　そつぎょう

288 153 ページと おなじ。

❷ かいわとぶんぽう

① 289 154 ページと おなじ。

②① こたえ ❶b ❷b ❸a ❹b ❺a

290 154 ページと おなじ。

② こたえ ❶a とったそうです　❷d つくるそうです
❸e りこんしたそうです
❹b くるそうです
❺c じょせいだそうです

291 155 ページと おなじ。

③ こたえ（れい）
マイケルさんは 浅草（あさくさ）に おてらを 見に 行ったそうです。
マイケルさんは 秋葉原（あきはばら）で 買い物を したそうです。
マイケルさんの 昼ごはんは ラーメンだったそうです。
マイケルさんは 日本の ラーメンは とても おいしいと 言っていたそうです。
マイケルさんは あした 大阪（おおさか）に 行くそうです。

292
10 時の ニュースです。
きのう 日本に 来た かしゅの マイケルさんは、今日 浅草（あさくさ）に おてらを 見に 行きました。
それから、秋葉原（あきはばら）で 100 万円 買い物をしました。
買い物の 後で、昼ごはんを 食べました。昼ごはんは ラーメンでした。マイケルさんは 日本の ラーメンは とても おいしいと 言っていました。
マイケルさんは あした 大阪（おおさか）に 行きます。

❸ かいわとぶんぽう

① 293 156 ページと おなじ。

②① こたえ ❶a ❷a ❸b ❹b

294
この がかは 大学を そつぎょうしてから、いろいろな 会社で はたらきました。がかに なるまで とても くろうしました。がかに なってから、30 さいの とき フランスに 行きました。それから 結婚するまで パリに すんでいました。そして、おくさんと 2 人で アルルに 行きました。アルルに 行ってから、おくさんの 絵を たくさん かきました。80 さいの とき、びょうきで なくなりました。なくなってから、フランスと 日本から しょうを もらいました。

② こたえ ❶なるまで　❷けっこんするまで
❸いってから　❹なくなってから

295 157 ページと おなじ。

③ こたえ ❶e しあわせだったかもしれません
❷c かいたかもしれません
❸b おくさんかもしれません
❹d ほしかったかもしれません
❺a わかるかもしれません

296 157 ページと おなじ。

❹ どっかい

こたえ a → e → d → b → c

297-301 158 ページと おなじ。

だい 18 か　どんな 子どもでしたか　p160

❶ もじとことば

① こたえ ❶a ❷c ❸d ❹b ❺e

302 160 ページと おなじ。

② こたえ ❶d ❷e ❸c ❹b ❺a

3 こたえ ❶a ❷b ❸b ❹b ❺a

303 161ページと おなじ。

4 こたえ ❶ピアノの コンテスト
❷しゅくだいを わすれました
❸ざんぎょうが おおいです

304 こたえと おなじ。

5 こたえ ❶せいかつ　ふべん ❷えいが　ねる
❸りょうしん　おもいで
❹おっと　つま　えらびました

305 161ページと おなじ。

❷ かいわとぶんぽう

1 306 162ページと おなじ。

2 ① こたえ ❶わらわれます ❷えらびます
❸たのまれます ❹よみます
❺しかられます ❻ほめられます

② こたえ ❶b ❷a ❸b ❹b

307 162-163ページと おなじ。

③ こたえ ❶a ❷c ❸b ❹d

308-311

❶ A　：ジョイさんは、どんな 子どもでしたか。
ジョイ：そうですね。子どもの ときは 学校に 行くのが 大好きでした。勉強も スポーツも よく しましたよ。よく 先生に ほめられました。
A　：へえ、よく 先生に ほめられたんですか。いい 子だったんですね。
ジョイ：ええ、たぶんね。

❷ A　：キムさんは、どんな 子どもでしたか。
キム　：そうですね。父が とても きびしかったんです。ときどき うちに おそく 帰って、しかられました。
A　：へえ、キムさん、しかられたんですか。
キム　：ええ、こわかったけど、今では いい おもいでですよ。

❸ A　：たなかさんは、子どもの とき、どんな おもいでが ありますか。
たなか：子どもの ときですか。さくぶんが にがてでした。友だちが 私の さくぶんを 読んで、よく わらいました。はずかしかったです。
A　：そうですか。わらわれたんですか。ひどい 友だちですね。
たなか：ええ、でも 友だちも さくぶんが にがてでしたから、いっしょに わらいました。

❹ A　：ヤンさんは 子どもの とき、どんな おもいでが ありますか。
ヤン　：子どもの ときは 勉強より サッカーでした。せんしゅに えらばれて、ゲームにも よく でました。私の チームは つよかったんですよ。
A　：へえ、すごいですね。せんしゅに えらばれたんですか。
ヤン　：ええ、今も サッカー、好きですよ。

④ こたえ a ジョイさんは／ア ほめられました
b たなかさんは／オ わらわれました
c キムさんは／エ しかられました
d ヤンさんは／イ えらばれました

312 163ページと おなじ。

❸ かいわとぶんぽう

1 313 164ページと おなじ。

2 こたえ ❶a ねるように なりました
❷e みなく なりました
❸c のむように なりました
❹d はなすように なりました
❺b たべなく なりました

314 164ページと おなじ。

3 こたえ ❶e よめなく なりました
❷b りょこうできるように なりました
❸a およげるように なりました
❹d ねられなくなりました
❺c いけなく なりました

315 165ページと おなじ。

❹ どっかい

こたえ ❶b ❷a ❸b ❹a ❺d

316・317 166ページと おなじ。

にほんごチェック 『まるごと 日本のことばと文化』初級(しょきゅう) 2 A2 <りかい>

トピック	か	日本語の ひょうげんを おもいだしましょう
1 新しい 友だち New friends	第 1 課 いい 名前ですね That's a good name	・じこしょうかいの とき、どんな ことを 話しますか。 What do you talk about when you introduce yourself? ・あなたの なまえや すんでいる 町の なまえには どんな いみが ありますか。 What is the meaning of your name or the name of the town where you live?
	第 2 課 めがねを かけている 人です She is the person wearing glasses	・ほかの 人を 見て、その人の がいけんや ようすを せつめいする とき、どんな ひょうげんを 使いますか。 What phrases do you use to describe the appearance of someone you see in the distance? ・はじめて 会った 人の いんしょうを どう 言いますか。 How do you give your first impression of someone?
2 店で 食べる Eating out	第 3 課 おすすめは 何ですか What do you recommend?	・あなたは 友だちを どんな レストランに つれていきますか。 What style of restaurant do you take your friends to when they visit? ・メニューを 見ながら どんな ことを 話しますか。 What do you talk about while looking over the menu?
	第 4 課 どうやって 食べますか How do you eat this?	・あなたの 国には どんな 食事の マナーが ありますか。 What kinds of table manners do you have in your country? ・あなたの 国の だいひょうてきな 料理は 何ですか。それは どうやって 食べますか。 What is a typical dish from your country? How do you eat it?
3 沖縄旅行 Okinawa trip	第 5 課 ぼうしを 持っていった ほうが いいですよ You'd better take a hat	・どんな ところに 旅行に 行きたいですか。 Where would you like to go on a trip? ・旅行する 前に、どんな じょうほうを あつめますか。 What kind of information do you gather before you go on a trip somewhere?
	第 6 課 イルカの ショーが 見られます You can watch a dolphin show	・あなたの 国に どんな かんこうちが ありますか。 What kinds of sightseeing spots are there in your country? ・そこで 何を しますか。 What can you do there?

Nihongo Check

"*Marugoto* : Japanese Language and Culture" Elementary 2 A2
<Coursebook for Communicative Language Competences>

★☆☆：すこし わかりました　I understood a little.　★★☆：だいたい わかりました　I more or less understood.　★★★：よく わかりました　I understood well.

きほんぶん	ぶんぽう・ぶんけい	No	ひょうか	コメント　（年／月／日）
1番目の 男の子と いう 意味	●＿＿＿＿と いう いみ	1	☆☆☆	（　／　／　）
さいたまと いう ところ	●N1と いう N2	2	☆☆☆	
先週（私が）買った 本	●めいししゅうしょく　Noun-modifier V／イA／ナA／N（ふつうけい plain form）＋N	3	☆☆☆	
あの 女の人は かみが 長いです。 かみが 長い 人	●N1（ひと）は N2が イA／ナAです N2が イA-い／ナA-な＋N1（ひと）	4	☆☆☆	（　／　／　）
あの 人は 歌を 歌っています。 歌を 歌っている 人	●V-て います V-て いる＋N（ひと）	5	☆☆☆	
やさしそうです。／上手そうです。 やさしそうな 人	●イA／ナA-そうです イA／ナA-そうな＋N（ひと）	6	☆☆☆	
短く きります。／上手に 歌います。 おいしそうに 食べています。	●イA-く／ナA-に V イA／ナA-そうに V	7	☆☆☆	
この 店は おいしいので、よく 来ます。	●S1（ふつうけい plain form）ので、S2	8	☆☆☆	（　／　／　）
私が 好きなのは、ステーキです。	●V／イA／ナA（ふつうけい plain form）の は、N です	9	☆☆☆	
野菜なら、この サラダが いいですよ。	●N1なら、N2が いいです（よ）	10	☆☆☆	
1つずつ／2本ずつ／3人ずつ	●N（かず quantity）ずつ	11	☆☆☆	
食べては いけません／だめです。 飲んじゃ だめです／いけません。	●V-ては／V-ちゃ いけません／だめです	12	☆☆☆	（　／　／　）
飲み物は かんぱいしてから、飲みましょう。	●V1-て から、V2	13	☆☆☆	
とうふステーキに 塩を かけて 食べます。 何も つけないで 食べます。	●V1-て／V1-ないで V2	14	☆☆☆	
とうふステーキに マヨネーズを つけて 食べると、おいしいです。	●V-る と、＿＿＿＿	15	☆☆☆	
ぼうしを 持っていった ほうが いいと 思います。 9月は 行かない ほうが いいですよ。	●V-た／V-ない ほうが いいです（よ）	16	☆☆☆	（　／　／　）
沖縄に 行く とき、船で 行きました。	●S1（V-る／V-ている／V-た）とき、S2	17	☆☆☆	
おしろの 中が 見られます。	●かのう①　Potential Nが V-（られ）ます	18	☆☆☆	
今日の ツアーは おどりも 見たし、音楽も 聞いたし、楽しめました。	●S（ふつうけい plain form）し、＿＿＿＿	19	☆☆☆	

にほんごチェック 『まるごと 日本のことばと文化』初級2 A2 <りかい>

トピック	か	日本語の ひょうげんを おもいだしましょう
4 日本祭 Japan Festival	第7課 雨が ふったら、どう しますか What do we do if it rains?	・あなたの 町では、日本の イベントが ありますか。 Are there any events related to Japan in your town? ・イベントを てつだったことが ありますか。 Have you ever helped out at an event?
	第8課 コンサートは もう 始まりましたか Has the concert started already?	・イベントの 受付の 人は どんな 仕事を しますか。 What jobs do the reception desk staff do at an event? ・受付の 人に どんな ことを 聞きますか。 What kind of information do you ask for at the reception desk?
5 特別な 日 Special days	第9課 お正月は どう していましたか What did you do during your New Year's holiday?	・あなたの 国で 一番 とくべつな 日は いつですか。 What is the most special day of the year in your country? ・その とき どんな ことを しますか。どんな じゅんびを しますか。 What do people do on that special day? What do they do to prepare for it?
	第10課 いい ことが ありますように Wishing for good things to happen	・あなたの 国には、毎年 する ぎょうじや むかしからの ぎょうじが ありますか。 Are there any annual events or traditional events in your country? ・その ぎょうじの とき、どんな ことを しますか。 What do people do for that event?
6 ネット ショッピング Online shopping	第11課 そうじ機が こわれて しまったんです My vacuum cleaner has broken	・あなたは どんな とき、電気せいひんを 買いかえますか。 When do you decide to replace an electrical appliance? ・あなたは インターネットで 電気せいひんを 買いますか。 Do you buy electrical appliances online?
	第12課 こっちの 方が 安いです This one is cheaper	・新しい 電気製品を 買う とき、だれかに そうだんしますか。 When you buy a new electrical appliance, do you ask someone for their recommendation? ・新しい 電気製品を 買う とき、だいじな ことは 何ですか。 What do you consider important when buying a new electrical appliance?

★☆☆：すこし わかりました　I understood a little.　★★☆：だいたい わかりました　I more or less understood.　★★★：よく わかりました　I understood well.

きほんぶん	ぶんぽう・ぶんけい	No	ひょうか	コメント　（年／月／日）
パウロさんは 日本語が 話せます。 日本語が 話せる 人	●かのう② Potential N が V-（られ）ます N が V-（られ）る ＋ ひと	20	☆☆☆	（　/　/　）
雨が ふったら、ホールで ぼんおどりを します。	●じょうけん① Conditional S1 たら、S2	21	☆☆☆	
じゅんびは もう 終わりましたか。 いいえ、まだ 終わっていません。	●もう V ました まだ V-て いません	22	☆☆☆	（　/　/　）
ペンは まだ ありますか。 ／まだ じゅんびを していますか。 ペンは もう ありません。 ／ペンは もう 全部 お客さんに あげました。	●まだ V1 ます／ V1 て います もう V1 ません／ V2 ました	23	☆☆☆	
コンサートが 何時に 始まるか、知っていますか。	●S〔いつ／どこ／…（ふつうけい plain form）か〕、しっていますか／わかりますか	24	☆☆☆	
休みは メキシコに 帰っていました。	●V-て いました	25	☆☆☆	（　/　/　）
親に 会えて、よかったです。 友だちに 会えなくて、ざんねんでした。	●かのう③ Potential V-（られ）て／ V-（られ）なくて、＿＿＿＿	26	☆☆☆	
今年は 休みが ３日しか ありませんでした。 私の 休みは ３日間だけでした。	●N しか（V ません） N だけ	27	☆☆☆	
わかい 人が 楽しめるように、いろいろな イベントが あります。 パーティーの 時間に おくれないように、はやく 行きましょう。	●S1（V ふつうけい plain form）ように、S2	28	☆☆☆	（　/　/　）
たなばたの とき、願い事を 書いたり して、楽しみます。	●V-たり して、＿＿＿＿	29	☆☆☆	
たなばたの とき、いい ことが あるように 願います。 わるい ことが おこらないように かみさまに いのりました。	●S（V ふつうけい plain form）ように ねがいます／いのります	30	☆☆☆	
せんぷう機が 動かなく なりました。	●へんか① Change V-なく なりました	31	☆☆☆	（　/　/　）
せんぷう機が 動かなく なって しまいました。	●V-て しまいました	32	☆☆☆	
ネットショッピングは 時間を 気に しないで 買い物できます。	●V1-ないで V2	33	☆☆☆	
電子レンジが とどくまで、1週間 かかりました。	●V1-る まで、V2	34	☆☆☆	
この アイロンは 重すぎて、使いにくいです。 この アイロンは 軽くて、使いやすいです。	●V-にくいです／やすいです	35	☆☆☆	（　/　/　）
A モデルと B モデル（と）、どちらが 安いですか。 B の 方が 安いです。	●N1 と N2（と） どちら／どっちが ＿＿＿＿か。 （N1 より）N2 の ほうが ＿＿＿＿。	36	☆☆☆	

にほんごチェック 『まるごと 日本のことばと文化』初級(しょきゅう)2 A2 <りかい>

トピック	か	日本語の ひょうげんを おもいだしましょう
7 歴史と 文化の 町 A town rich in history and culture	第13課 この お寺は 14世紀に たてられました This temple was built in the 14th century	・観光ツアーに 出かける 前に、ほかの 人と どんな ことを 話しますか。 What do you talk about with others before going on a sightseeing tour? ・あなたの 町を よく 知らない 人に あなたの 町の れきしや でんとう文化について どのように せつめいしますか。 How do you explain the history and traditional culture of your town to someone who is not familiar with it?
	第14課 この 絵は とても 有名だそうです I hear that this painting is very famous	・はくぶつかんに ある ものを 友だちに どのように せつめいしますか。 How do you explain a collection in a museum to a friend? ・はくぶつかんには どのような サービスが ありますか。 What kind of services does a museum offer for visitors?
8 せいかつと エコ Life and eco-friendly activities	第15課 電気が ついた ままですよ The light has been left on	・会社や 家で 電気が むだに 使われていたら、あなたは 何と 言いますか。 What do you say when you find electricity is being wasted at your office or home? ・あなたは ごみを へらす ために、何か していますか。 Do you do anything to reduce the amount of rubbish you produce?
	第16課 フリーマーケットで 売ります I'll sell it at the fleamarket	・あなたは 着なく なった ふくを どう しますか。すてますか。 What do you do with old clothes that you no longer wear? Do you throw them out? ・あなたの まわりに リサイクルで 作られた ものが ありますか。 Can you find any recycled products nearby?
9 人生 People's lives	第17課 この 人、知っていますか Do you know who this is?	・あなたの 国で 有名な 人は だれですか。 さいきん、有名な 人について 何か ニュースが ありましたか。 Who is famous in your country? Have you heard any news about a famous person recently? ・有名な 人の じんせいについて 何か 知っていますか。 Do you know anything about the life of a famous person?
	第18課 どんな 子どもでしたか What kind of child were you?	・あなたは どんな 子ども、学生でしたか。どんな おもいでが ありますか。 What were you like when you were a child/student? What are your most vivid memories of your childhood and school days? ・大人に なってから、どんな できごとや へんかが ありましたか。 What kind of events and changes have taken place since you became an adult?

★☆☆：すこし わかりました　I understood a little.　★★☆：だいたい わかりました　I more or less understood.　★★★：よく わかりました　I understood well.

きほんぶん	ぶんぽう・ぶんけい	No	ひょうか	コメント　（年／月／日）
京都は いつ 来ても、楽しめます。	●〔いつ、なに、どこ、だれ〕V-て も、＿＿＿＿＿。	37	☆☆☆	（　/　/　）
妹と 2 人で 京都に 来ました。	●N（ひと person）と N（かず quantity）で	38	☆☆☆	
京都は 8世紀の 終わりに てんのうによって つくられました。	●うけみ①　Passive V-（ら）れます	39	☆☆☆	
この 絵は 日本で 一番 古い マンガだそうです。	●S（ふつうけい plain form）そうです	40	☆☆☆	（　/　/　）
イベントを 知らせるために、カレンダーを 作ります。 おみやげを 買いたい 人の ために、店が あります。	●V-る／Nの ために、＿＿＿＿＿	41	☆☆☆	
受付に イベントカレンダーが おいてあります。	●V-て あります	42	☆☆☆	
会議室の 電気が ついたままです。	●V-た ままです	43	☆☆☆	（　/　/　）
私は 自分の はしを 使うように しています。 私は わりばしを 使わないように しています。	●V-る／V-ない ように しています	44	☆☆☆	
自分の はしは、ごみを へらすのに いいです。	●V-る の に いいです／つかいます／…	45	☆☆☆	
服が 着られなく なりました。	●へんか②　Change V-（られ）なく なりました	46	☆☆☆	（　/　/　）
服が 着られなく なったら、どう しますか。	●じょうけん②　Conditional S1 たら、S2	47	☆☆☆	
ゆうこさんは ネクタイを バッグに しました。	●N1 を N2 に します	48	☆☆☆	
ペットボトルが ふくに なりました。	●N1 が N2 に なります	49	☆☆☆	
この 歌手は 2回目の 結婚を するそうです。	●S（ふつうけい plain form）そうです	50	☆☆☆	（　/　/　）
この 人は 画家に なってから、フランスに 行きました。 フランスに 行ってから、ずっと お金が ありませんでした。	●V1-て から、V2	51	☆☆☆	
画家は なくなるまで、フランスで 絵を かきました。	●V1-る まで、V2	52	☆☆☆	
この 画家は 一番 有名かもしれません。	●S（ふつうけい plain form）かもしれません	53	☆☆☆	
私は 母に しかられました。 私は 先生に 絵を ほめられました。	●うけみ②　Passive A は B に V-（ら）れます A は B に N を V-（ら）れます	54	☆☆☆	（　/　/　）
朝 早く 起きるように なりました。 夜 テレビを 見なく なりました。	●へんか③　Change V-る ように なりました V-なく なりました	55	☆☆☆	
病気が よくなって、何でも 食べられるように なりました。 しゅうしょくしてから、友だちに あまり 会えなく なりました。	●へんか④　Change V-（られ）る ように なりました V-（られ）なく なりました	56	☆☆☆	

【写真協力】（五十音順・敬称略）

■ **株式会社 アフロ**
http://www.aflo.com/
〒104-0061　東京都中央区銀座 6-16-9 ビルネット館 1-7 階

■ **着物リメイクのお店 カナタツ商店**
http://ct6.jp/
〒862-0960　熊本県熊本市東区下江津 1-8-1-201

■ **京都国立博物館**
http://www.kyohaku.go.jp/
〒605-0931　京都府京都市東山区茶屋町 527

■ **宮内庁 正倉院**

■ **とぅばらーま**
http://tb.jcc-okinawa.net/
〒900-0013　沖縄県那覇市牧志 2-7-25

■ **栂尾山高山寺**
http://www.kosanji.com/
〒616-8295　京都府京都市右京区梅ヶ畑栂尾町 8

■ **日本銀行金融研究所貨幣博物館**
〒103-0021　東京都中央区日本橋本石町 2-1-1

■ **米沢市上杉博物館**
〒992-0052　山形県米沢市丸の内 1-2-1

■ **琉球ガラス村**
http://www.ryukyu-glass.co.jp/
〒901-0345　沖縄県糸満市字福地 169

■ **鹿苑寺**
〒603-8361　京都府京都市北区金閣寺町 1

■ **じゃかるた新聞　The Daily Jakarta Shimbun**
http://www.jakartashimbun.com/
Menara Thamrin Suite 501, Jl. M.H. Thamrin Kav.3 Jakarta Indonesia

【その他協力】（五十音順・敬称略）

■ **株式会社 懸樋プロダクション**
http://www.kakehipro.com/
〒106-0045　東京都港区麻布十番 2-14-7 田辺ビル 202

■ **株式会社 ブレイン**
〒150-0001　東京都渋谷区神宮前 2-2-22 青山熊野神社ビル B1F

まるごと　日本のことばと文化　初級２　A2　りかい

2014年10月20日　第1刷発行

編著者　独立行政法人国際交流基金（ジャパンファウンデーション）
執　筆　来嶋洋美　柴原智代　八田直美　木谷直之　根津 誠
発行者　前田俊秀
発行所　株式会社三修社
〒150-0001　東京都渋谷区神宮前2-2-22
TEL　03-3405-4511　FAX　03-3405-4522
振替 00190-9-72758
http://www.sanshusha.co.jp

印刷製本　萩原印刷株式会社

ISBN978-4-384-05757-7　C0081